解表药　消食药　祛风湿药

谢　宇　著

湖南科学技术出版社

图书在版编目（CIP）数据

跟着小神农学认药. 解表药　消食药　祛风湿药 / 谢宇著. -- 长沙 : 湖南科学技术出版社, 2017.8（2021.9 重印）
ISBN 978-7-5357-9370-6

Ⅰ. ①跟… Ⅱ. ①谢… Ⅲ. ①中草药－基本知识②解表药－基本知识③消化药－基本知识④祛风湿药－基本知识 Ⅳ. ①R286

中国版本图书馆 CIP 数据核字(2017)第 163643 号

GENZHE XIAOSHENNONG XUE RENYAO JIEBIAOYAO XIAOSHIYAO QUFENGSHIYAO

跟着小神农学认药　解表药 消食药 祛风湿药

著　　者：谢　宇
责任编辑：李　忠　姜　岚
出版发行：湖南科学技术出版社
社　　址：长沙市芙蓉中路一段 416 号泊富国际金融中心
网　　址：http://www.hnstp.com
湖南科学技术出版社天猫旗舰店网址：
http://hnkjcbs.tmall.com
印　　刷：长沙艺铖印刷包装有限公司
（印装质量问题请直接与本厂联系）
厂　　址：长沙市宁乡高新区金洲南路 350 号亮之星工业园
邮　　编：410604
版　　次：2017 年 8 月第 1 版
印　　次：2021 年 9 月第 2 次印刷
开　　本：787mm×1092mm　1/32
印　　张：10
字　　数：193 千字
书　　号：ISBN 978-7-5357-9370-6
定　　价：24.00 元

跟着小神农学认药

解表药　消食药　祛风湿药

谢　宇　著

CTS 湖南科学技术出版社

图书在版编目（C I P）数据

跟着小神农学认药．解表药　消食药　祛风湿药 / 谢宇著．-- 长沙 ：湖南科学技术出版社，2017.8（2021.9 重印）
ISBN 978-7-5357-9370-6

Ⅰ．①跟… Ⅱ．①谢… Ⅲ．①中草药－基本知识②解表药－基本知识③消化药－基本知识④祛风湿药－基本知识 Ⅳ．①R286

中国版本图书馆 CIP 数据核字(2017)第 163643 号

GENZHE XIAOSHENNONG XUE RENYAO JIEBIAOYAO XIAOSHIYAO QUFENGSHIYAO

跟着小神农学认药　解表药 消食药 祛风湿药

著　　者：谢　宇
责任编辑：李　忠　姜　岚
出版发行：湖南科学技术出版社
社　　址：长沙市芙蓉中路一段 416 号泊富国际金融中心
网　　址：http://www.hnstp.com
湖南科学技术出版社天猫旗舰店网址：
http://hnkjcbs.tmall.com
印　　刷：长沙艺铖印刷包装有限公司
（印装质量问题请直接与本厂联系）
厂　　址：长沙市宁乡高新区金洲南路 350 号亮之星工业园
邮　　编：410604
版　　次：2017 年 8 月第 1 版
印　　次：2021 年 9 月第 2 次印刷
开　　本：787mm×1092mm　1/32
印　　张：10
字　　数：193 千字
书　　号：ISBN 978-7-5357-9370-6
定　　价：24.00 元

主要人物介绍

朱有德： 镇上著名的老中医，已经有30多年的行医经验，为人忠厚老实，古道热肠，经常无私帮助一些生病的穷人，有时候甚至少收或者不收药钱，赢得了很多患者的赞誉。近年来，由于年纪大了，不想让自己的医术失传，所以收了小神农作徒弟。

小神农： 10岁左右，性格活泼，对中医药学有着浓厚的兴趣，聪明又爱好学习。经人介绍，来到了朱有德身边。跟随朱有德学习的时间不长，但是已经认识了很多草药，进步飞速。不过他比较调皮，有时候比较马虎，容易认错草药。

张大爷： 药材商人，常年给朱有德供货。他走南闯北收购药材，见多识广，对于药材的种类和性质十分清楚。经常到朱有德家送药材，和朱有德关系不错，也非常喜欢小神农。由于他见识丰富，小神农也很喜欢他，经常盼望他到来。再加上他送的药材货真价实，朱有德也十分信任他。

师　娘： 朱有德的妻子，老实敦厚，对小神农十分喜爱，视如己出。她非常支持朱有德行医，平日里会帮助朱有德整理草药，是一个温柔善良的贤内助。由于在朱有德身边多年，耳濡目染也掌握了一些中草药知识，有时候也会对小神农进行指导。

慕　白： 朱有德的师弟，经营一家草药山庄，有多年行医经验。

荣　桑： 慕白的徒弟，比小神农大几岁。跟随慕白学习的时间比较长，对草药的知识掌握得比小神农多，而且性格比小神农沉稳。

内容简介

解表药

日常生活中，有一些常见的病症，如发热、恶寒、头身疼痛等，虽不是大病，但是易发难除，常常对人们的正常工作和生活产生不良影响。这些症状，在中医药学看来，就是外感表证；《内经》曰“其在皮者，汗而发之”，也就是说，这样的症状需疏解肌表，促使发汗。这类以发散表邪、解除表证为主要功效的药物，称为解表药，又称发表药。根据解表药的药性及功效主治差异，又可分为不同类型；不同症状、不同情况下使用的解表药又有所不同，这些在本书中都有详细讲述。

本书选取日常多见，且在实际治疗中常用的解表药进行介绍，从其药物特征到其药性，以及针对症状，一一进行整理，以方便读者在面对不同药物时，能正确理解、选择和使用。

消食药

越来越多人有这种感受：见饭不香、一吃就饱。可是，真的要查究病源，似乎又并无问题。其实，这都是消化不良造成的症状。它既与生活方式有关，也与饮食习惯脱不了关系。一定不要把消化不好、吃不下饭当成小事，中医典籍中说“内伤脾胃，百病由生”，这种看似没有症状的疾病，不可不调。

中医药学将以消积导滞、促进消化为主要功效，用于治疗饮食积滞证的药物，称为消食药。消食药多作用缓和，适合长期调理。本书以调理脾胃、健脾开胃为根本，针对胃寒、胃热、脾虚等多种病因，选取中草药，给出调理之方。所谓欲健其身，先理其胃，而这帮助消化、调理脾胃的中草药，就是引领身体走向健康的关键要素。

祛风湿药

风湿痹痛之症，是长期困扰很多人的一种慢性疾病。其实，风湿之所以造成关节、肌肉、周围软组织疼痛，就是身体代谢失调、气血运行不周所导致的肌骨组织病变。中医药学将其称为痹症，认为只要有效祛风除湿、疏通经络，这些疼痛问题都能化解。

祛风湿药其性或温或凉，痹症也分寒痹与热痹，长于治疗寒痹的祛风湿药性温或热，反之则性寒或凉。使用祛风湿药时，应根据痹症的类型、邪犯的部位、病程的新久等，选择药物并作适当的配伍。本书选取中医药学中常见、常用的一些除湿祛风、活络通经药材，拟打造一本专门为风湿疼痛所困扰人群使用的中草药书籍。本书各药看似并不起眼，有的甚至就是随处可见的“杂草”，但在中医巧妙的运用之下，却能发挥神奇的疗效。

出版说明

中医药学是我国所特有的一门学科，不仅包含了道家、儒家的养生基础和理论，更含有阴阳五行之哲学，使其形成祖国文化中深厚的知识基础。

随着《中华人民共和国中医药法》的颁布，中医药学受到越来越多人的关注和重视。在这项立法中，第二条规定对这一法规作出了详细解释：本法所称中医药，是包括汉族和少数民族医药在内的我国各民族医药的统称，是反映中华民族对生命、健康和疾病的认识，具有悠久历史传统和独特理论及技术方法的医药学体系。

不仅如此，自中医药法实施以来，引起了社会各界很大的反响，尤其是教育界对此非常重视。国家创新方法研究会、北京中医药大学、中国人民大学附属中学特别举行了一场“中医文化进校园校长研讨会”，国家中医药管理局局长王国强指出：将中医药文化带进校园，根据不同阶段的学生，开设不同程度的中医药课程，不仅能普及中医药知识，帮助青少年健康成长，还能将祖国传统医药文化进行发扬传播。所以，研讨会最后得出结论：要大力倡导各校进行中医药文化与推拿等养生保健技术的普及和学习。至此，各学校开始纷纷行动起来，其中北京市为全国各校的领军示范，他们早于2009年便已经开展了中医药文化的学习，及时将这一课程带进了课堂。现在，在北京有9万名中小学生在选修中医药文化课。

另外，浙江省也不甘落后，他们于2015年开始将中医药文化纳入全省小学五年级的课程之中，而且还特别建立了中医药科普宣传团，不时举办中医药文化大讲堂，为的就是把中医药文化知识带进社区、乡村、家庭，从而发扬、推广中医药文化，壮大中医药文化的人才队伍。立于创新教育的基础上，其他省市也看到了中医药文化学习的重要性，山东、安徽等省也正在努力将中医药文化带进课堂中，按不同的班级传播不同的中医药学知识。这些做法均对中医药学的发展有着良好的推动作用。

事实上，现在还有很多人对中医药学心存误解，认为一提中草药便是晦涩难懂、深奥费力的专业学识。其实不然，中草药作为祖国医学体系的特色，作为中华民族的精粹，其在日常生活中的应用非常广泛，而且其根源又深入生活，实用于生活，是难得的既可治疗疾病又能强身健体的常见药物。对这些中草药进行了解、认知，无疑在发扬中医药学的同时，又可对自我生活产生极大的帮助和裨益。

我们出版这套《跟着小神农学认药》（共计8种）便是本着这一意图而推出的，其最大的特色在于化繁为简，书写轻松，全书以故事讲解为基础，通过人物、事件的发生，将中药材的特征、用途、功效等进行讲解。主人公小神农作为一个处于学习过程中的孩子，边玩边学，逐渐对中医应用的各味中药材达到了了解、认知，这是一个寓教于乐的过程。其实，这对每一个阅读此书的读者而言也是如此，我们从对中医药学的一无所知，到跟着故事慢慢遨游于中药材世界之中流连忘返，这个过程不只会让我们增加相应的中医药学知识，更让我们收获生活养生的真知酌见。相信看完本套书，读者朋友们对中医药学的看法才会产生质的改变：原来我们所认为难懂深奥的中医药学其实就这么简单，甚至那些看似神秘的治病救人之中药材，也不过是生活中常见的草木而已。

可以这样说，本套书的最大特色在于寓事于理，传播中医药学的精髓。书中按人们日常多需多用的调理之用药进行了分类，把各种药材分别归纳成不同种类，比如补虚药、利水渗湿药、清热解毒药、止血活血药、解表药、消食药、祛风湿药、收涩驱虫药、温里理气药、安神开窍药、止咳化痰药等。有了这样细致的划分，我们在阅读的时候便简单而有针对性，再也不会觉得中医药学繁冗无味了。读者只需按自己所需要的问题去对故事进行阅读，便可于其中寻找到有益于自我身体的药材。这样一来，那些日常多见的中药材也不会被我们视为无用之草芥，弃之如敝屣了。

应该说，正是本着让人们全方位认知中药材，了解其药性及功效的目的，我们才在发扬中医药学的基础上进行了创新开发与出版。另外，由于本套丛书写作时间较紧，加上作者自身知识水平所限，书中难免会有不足之处。但相信中药材之魅力可弥补写作上的不足，从而彰显中医药学知识的光辉。惟愿本套丛书的出版，可以让中医药学得到光大传播，让大众享受简单中药材所带来的别样养生人生！读者交流邮箱：228424497@qq.com。

丛书编委会

于北京

前言

PREFACE

中草药是中华民族几千年来与疾病作斗争过程中总结出来的医药瑰宝，是中华民族的智慧结晶，不论是预防保健，还是治疗疾病，都有其独特的功效。在中医药学形成和发展的漫长历史进程中，它为中华民族的繁衍、昌盛以及人民的健康长寿做出了积极贡献。近年来，由于世界上“绿色食品”“天然药物”的兴起，中医中药备受青睐。随着社会的不断进步和科学技术的飞跃发展，人类的自我保健意识不断增强，回归自然的愿望也越来越强烈，人们更加赏识和注重中草药预防疾病和养生保健的功效。从古至今，传统中医药学不仅是人们治病救命之源，更被视为健康养生之本。纵览历代先贤著作，虽然《黄帝内经》《伤寒论》《难经》《千金方》等用药典籍不胜枚举，但其中被历代延传的精华多不在于药方，而在于草药。正因为如此，传统中医才将诸药以草为本，从而成就本草之名。

然而中国地大物博，草药数量岂止万数之多！每种药物又分别有四气、五味、归经、升降浮沉、使用禁忌等条目，若无人能辨认草药、理解药性、了解药效，那么这些天赐的愈疾之宝恐怕就会埋没于泥淖之中了。而中医典籍对于大部分刚接触中草药的人来说，又实在深奥难懂，让人望而却步。但若因此而使得传统医学之智慧最终湮没于尘埃，就实在是国人乃至世界的不幸了。基于此，笔者本着传承传统中医文化、传播优秀中医药学的初心，撰写了这套集药物速认、了解药性、对症病情、简单运用为一体的中医药普及丛书。

为了更好地让初读本套丛书的读者能够迅速认识中草药及了解它们的特点和用途，丛书以故事串联成章，以系列成书，从现代人日常生活的关注热点出发，以实用为第一准则，选取日常生活中可见的、常用的各类药物一一进行介绍。书中每一个故事就是一味草药，草药之间以药性为内在承接点，似金线串联珍珠，将传统中医药学精华串联此系列丛书。笔者惟求在深入浅出地为读者厘清药物功效作用的同时，让读者在快乐阅读中引发对传统中医药文化的兴趣，将祖国中医药文化向更深更广的社会人群中辐射、影响。此外，考虑到不同读者对于不同性味中草药的了解需求可能存在差异，笔者在编写时，采用单章成文、内中相连的编著方式，让读者既可以掌握全部药材的功效，又可随时取出一味为己所用，真正做到理论与实践结合，研究与实用兼备。

同时，为使丛书达到老叟喜读、孩童能解的表达效果，书中尽量减少了专业性较强的学术用语，代之以通俗易懂的语言。在讲解形式上，采用由小徒弟与老中医之间所发生的谈话、趣事的模式，在故事中慢慢揭开草药神奇作用的谜底，以图使读者在轻松愉快的氛围中，以探寻未知奥秘的方式，了解中草药的神奇之处与中医文化的博大精深。编写过程中，笔者也尽力做到浓缩精华、于众家所长中择善而从，为读者免去选择之烦。

丛书内容以补虚药、利水渗湿药、止咳化痰药、清热解毒药、收涩驱虫药、止血活血药、祛风湿药等为主线，罗列人们日常常见之症状，对症给出相应中草药性状特点、作法用途，使读者能够轻松对症下药，而不至于沉浸于学海中茫然无措。虽不求读者凭此一书成医，但求勉力提供治疗轻微症状、预防潜在疾病的措施的可能，故丛书不仅为治疗疾病也为大众养生而作。中医药学向来注重阴阳调和以护养生气，中医药学的精粹也包含历代杏林圣手于实践积淀中得出的养生强健之法。走进中药，认识中药，既是学习防病的开始，又是养生强体的基础。所谓“未病先防，既病防变”，传统中医的理念便是防重于治，因此丛书在预防良方上多有赘述。

本套丛书撰稿之初，笔者喜闻中国科学家屠呦呦因研制出抗疟新药——青蒿素和双氢青蒿素而获得诺贝尔生理学或医学奖，而且这一被誉为“拯救2亿人口”的发现正是来自传统中草药青蒿。在为我国科学家领先世界一流的研究成果惊叹的同时，笔者似乎也看到了中医药学的光明未来。不久之后，2016年第十二届全国人民代表大会常务委员会第二十五次会议通过了《中华人民共和国中医药法》，此法已经于2017年7月1日起正式施行。从多方面来看，中医药学的振兴已成不可阻挡之势，中医药文化及推拿等养生保健等技术进学校、进课堂、进教材当在目前。值此良机，笔者编写本套《跟着小神农学认药》丛书，切合普及传统中医文化的现实需要，并通过诙谐幽默、生动有趣而科学精准的讲解，让读者在浅显易懂、图文并茂的阅读中，不仅获得真正实用的中医药学知识，也享受轻松学习知识的过程，这不仅是一场知识饕餮，更是一场视觉盛宴！

丛书编委会

于北京

目录
CONTENTS

解表药

消食药

祛风湿药

解表药

防风——解表的良药

吃过午饭，小神农将前几日晾晒好的草药拿到药房来整理，这些草药全部都是朱有德出门看诊时采摘回来的。

“整理得怎么样了？”朱有德站在小神农的身后问道。

“嗯，差不多了。师傅您检查一下吧！”小神农回答道。

只见朱有德背着手一个一个抽屉地检查，一开始他脸上略带笑意，可突然，他的表情变得严肃起来，小神农也察觉到了什么。

“师傅，有什么问题吗？”小神农窘迫地问。

朱有德没有立刻开口，而是示意小神农过来。小神农看了看写着“茅苍术”的抽屉，仍旧一头雾水。

“你将茅苍术与防风放在一起了。”朱有德隔了几分钟才缓缓说道。

“啊？防风？防风是什么？”小神农从来没有听说过这种草药。

“防风是一至两年生直立草本植物，高30～80厘米。根部是粗壮的圆柱形，有分枝，为淡黄棕色；根是斜向上长的，基本与主茎一样长，边缘长着细棱。基生叶裂片呈三角形。花期8～9月，花形为复伞状，有4～9朵花，花瓣分白色倒卵形的5瓣。花谢后结出的是双悬果，同样是卵形；果实成熟前，表面上会有凸起。防风喜生于凉爽地区，不仅耐寒，而且耐干旱。采摘晾晒后，样子和茅苍术差不多。”朱有德为小神农解答道。

“师傅，那这防风可以用来治什么病呢？”小神农着急地问道。

“防风性温，味辛、甘，可发表、祛风、胜湿、解痛。《本草纲目》中说它‘三十六般风，去上焦风邪，头目滞气，经络留湿，一身骨节痛，除风去湿仙药’；而《药类法象》则说‘治风通用，泻肺实，散头目中滞气，除上焦邪’；另外《本草求原》讲它‘解乌头、芫花、野菌诸热药毒’。因此，防风可治的病很多，外感风寒、头痛、目眩、项强、骨节酸痛、四肢挛急、风湿痹痛等症都离不开它。”朱有德微笑着说。

“原来防风这么厉害啊！我算是认识它了，以后再也不会将它认错了！”小神农自信满满地说。

“我们作为医师，识别草药的特征与药性是最基本的能力之一，所以万万不可再出现放错草药这等马虎的事情。”朱有德教导。

“知道了师傅，我以后一定注意！”小神农低着头说道。

说罢，朱有德继续查看是否还有放错的草药。

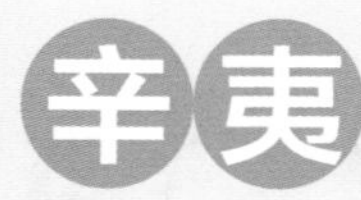

——缓解鼻塞的灵药

“师傅，这是什么草药？”小神农拿一些花状的药材问朱有德。

“这是辛夷。”朱有德看了一眼后转过身去继续忙着。

“辛夷？”小神农重复了一遍朱有德的话，“这个名字真奇怪呀，这好像是它的花呢。”

“辛夷通常就是指木兰科属紫玉兰的花蕾，你没看到过紫玉兰什么样子吧？”朱有德开始为小神农讲解新药材了，“紫玉兰是落叶灌木植物，一般高3～4米。表皮上生有灰白或者灰色的纵向裂纹。分枝为光滑的紫褐色，而且可以看到浅白棕色的纵向椭圆皮孔。叶子是成对生长，有短柄，柄长只有1.5～2厘米，很光滑，只有一些短毛。叶片有的是椭圆形，有的是倒卵状的椭圆形；叶子正、反两面都很光滑，正面是绿色，背面是浅绿色，有些叶缘会被稀少短毛，叶子主脉

非常凸出。花单独生在小枝的顶部，外轮花萼近似于线状，每朵有3片，长度大约是花瓣的四分之一，一般花萼会早落；中轮花是紫红的3片，内轮花是白色的3片，整体是倒卵形，长度约有8厘米。雄蕊多数在伸长的花托下螺旋状排列，雌蕊多数排列在花托上部。它的果实是稍扭曲的长椭圆形。记住了吗？”朱有德见小神农听得认真，便问道。

“记住了！”小神农爽朗地回答，“可是，师傅，这味药有什么功效？能治疗什么病呢？”

“辛夷为解表药，它性温，味辛，归肺、胃经，最能散风寒，通鼻窍。一般头痛鼻塞、风寒感冒、鼻流浊涕、鼻渊等症都可治疗。不仅如此，《本草》中还说‘辛夷，树大连合抱，高数仞。此花初发如笔，北人呼为木笔。其花最早，南人呼为迎春’。所以辛夷不仅是药，还是可供观赏的植物。”朱有德继续说道。

“我已经全部记住了！”小神农做出了一个俏皮的表情，甜甜地笑了。

——治风寒的特效药

这天一早，朱有德吃过早饭便匆匆出了门。他并未告诉小神农自己去哪，正当小神农纳闷的时候，他却又很快回来了。

“小神农，快看看谁来了？”还未等小神农反应过来，朱有德便抢先说道。

“小神农！”只见荣桑从朱有德的身后跳了出来。

“荣桑哥哥！是荣桑哥哥！”小神农激动得跳起来。

朱有德率先开口说道：“这次荣桑过来，一是来咱们镇子玩几天；另一方面，为师要出门为人看诊，这一来一回恐怕也要六七天。我怕你师娘独自照顾你忙不过来，有荣桑帮着照顾你这个鬼灵精，师

傅也放心一些。”

“那师傅您什么时候出发呢？”小神农问。

“今天下午。”朱有德缓缓开口道，“你就带着荣桑在咱们镇子好好玩一玩吧。”

“是！师傅！徒儿遵命！”小神农狡猾地笑了笑。

“你先带荣桑去房间休息一下，师傅要养一下精神了！”朱有德命令道。

小神农将荣桑的包袱放到屋内桌子上，却不料有东西掉落出来。

“这是什么？”小神农弯腰去捡地上的物体。

“啊，这是紫苏！我特意给你带来的！这东西只长在赤水镇，上次你去的时候，它还没发芽。”荣桑解释道。

“紫苏是什么东西呀？有什么用呢？”小神农的两只大眼睛中充满了好奇。

“紫苏属于一年生的唇形科草本植物。茎0.3～2米高，叶子一般为绿色或紫色的钝四棱形，具四槽，叶子上长满密且长的柔毛。叶端短尖，呈圆形或者阔楔形，边缘的基部以上有粗锯齿，它们都是膜质或草质。叶子正面是绿色或者是紫色，偶尔下面是紫色，上面长出稀少的柔毛，下面为细短的柔毛，有7～8对侧脉。”

荣桑喝了口水，接着说道：“紫苏花是轮伞花序的两片花瓣，和茎一样长着密且长的柔毛、花序偏向一旁生长，呈顶生或腋生。每朵花有一枚近似圆形的苞片，长、宽大约都是4毫米，先端部分是短尖无毛的，边缘是膜质。花梗长有1.5毫米，并长满密生的柔毛。花萼是钟形，叶脉约有10条，大都长3毫米左右，下面长有长柔毛。花冠筒状部分很短，仅2～2.5毫米长，内面喉部是有疏柔毛环绕的斜钟形。花萼边缘接近二唇形，上唇比较宽大，下唇有3裂，中间的裂片比较大。果萼大约长10毫米。花柱没有伸出，顶端有2浅裂。小坚果近球形，颜色灰褐色，直径有1.5毫米左右，有网纹。”

“它是做什么用的？”小神农瞪大了双眼，饶有兴致地追问。

“紫苏能发汗散寒以解表邪，又能行气宽中、解郁止呕，所以它能治疗风寒表证、气滞不畅、恶寒、发热、宣通、无汗、胸闷、脾胃气滞、呕恶等症状，同时，不论有无表证，均可应用。”荣桑温柔地说道，“就是说，紫苏是上好的解表中药。这下明白了吧？”

“明白了！谢谢荣桑哥哥！”

“谢什么呀！太客气了！”荣桑笑着伸伸懒腰，又喝起水来。

——利水消肿、发汗解表的良药

第二天一早，荣桑还在睡觉，迷迷糊糊间听到了外面有动静。于是，荣桑立刻起床，洗漱完毕出门看时，原来是小神农在收草药。

“我来帮你吧！”荣桑主动说道。

“不用了，不用了！已经差不多了！”小神农抬头笑了笑。

“没关系的，活动一下对身体好！”说罢荣桑便走了过来，“再说，我不来帮忙，这么多麻黄你一个人要整理到什么时候！”荣桑有点心疼。

“麻黄？这是麻黄吗？”小神农一脸不解。

“对啊！”荣桑问，“难道你不认识吗？”

小神农摇了摇头：“这是师傅前两天采摘回来的，他还没来得及给我讲就出门看诊了！”

“这样子啊，我讲给你听！”荣桑露出了一个大大的微笑。

“我们通常把麻黄分为3种：一种是草麻黄，一种是中麻黄，另一种是木贼麻黄。我先给你说些它们的共同点。麻黄是多年生的草本植物，一般高20～40厘米。木质茎短，伏地而生，小枝有的直伸，有的微曲；其表面细纵槽纹不太明显，节间长2.5～5.5厘米，直径约2毫米。叶子两裂，鞘部在全长中占1/3～2/3，锐三角形的裂片，顶部急尖。”荣桑看着地上的那些麻黄，接着说道：“你来看这些草麻黄，它的鞘部朝相反的方向卷曲。它雌雄不同体，雄球花大部分是复穗状，多数是总梗，苞片分4对，雄蕊有7～8枚；雌球花独自长在枝头，大都有苞片4对，雌球花成熟后，肉质呈红色，近似圆球形。”

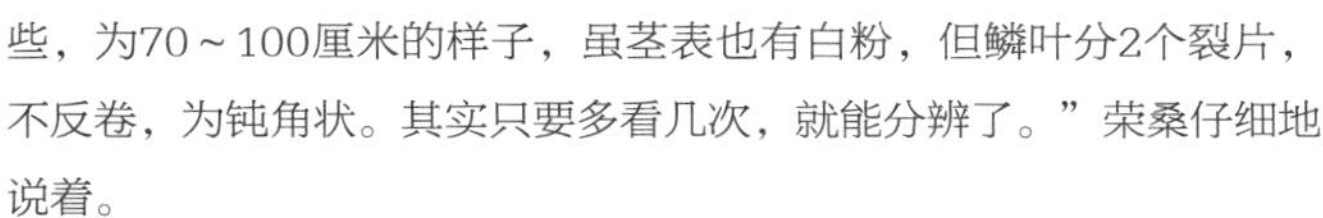

荣桑说完后，看向小神农。

“那另外两种麻黄有什么特点呢？”小神农又问。

“中麻黄是一种小灌木，与草麻黄差不多高，它的茎为草质，对生，有时又为轮生，常有白粉覆在表面。而木贼麻黄虽也为小灌木，但要比前两种长得高一些，为70～100厘米的样子，虽茎表也有白粉，但鳞叶分2个裂片，不反卷，为钝角状。其实只要多看几次，就能分辨了。”荣桑仔细地说着。

“那这麻黄有什么药效呢？”小神农认真地询问。

“麻黄主要有发汗解表、宣肺平喘、利水消肿的作用。”荣桑说着便开始着手整理草药，“其性温，味辛、微苦，归肺、膀胱经，可治疗风寒表实、胸闷喘咳、风水浮肿、风湿痹痛、痰核等症。”

“原来如此！我又学会了一种草药！我好开心呀！”小神农手舞足蹈起来。

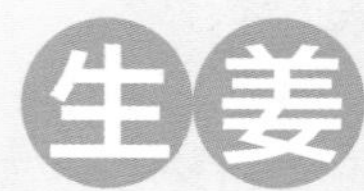

——最常见的中药

小神农与荣桑来到药房，小神农一眼就看到了放在桌子上的生姜。

“师傅也真是马虎，居然把厨房用的生姜放到药房来了。”小神农嘟囔着。

“其实，这生姜除了可以食用，也是一味药材。”荣桑说道。

“什么？生姜也是药材？”小神农觉得荣桑在开玩笑。

“我说真的！”荣桑望向小神农，“生姜是多年生宿根草本植物，是姜的新鲜根茎。根茎肉质、肥厚、扁平状，有芳香及辛辣味。叶子为条状披针形，叶长15～30厘米，宽约2厘米，从顶端开始渐渐

变尖，底部变得狭窄，而且很光滑。花和茎直立生长，并且有稀疏覆瓦状的鳞片覆盖在上面。花序呈椭圆形的穗状，长5厘米，宽2.5厘米。苞片为卵形，多为淡绿色。开花很多，花长2.5厘米，顶部锐尖；花萼是短筒状；花冠是黄色的披针形，3裂；唇瓣是淡紫色较短的倒卵形，唇瓣上的斑点是黄白色，在下面的每条边上都有裂片。蒴果有2.5厘米，呈长圆形。”

“这是生姜的生长特征，我当然明白。”小神农说道，“可它的药用价值是什么呢？”

“生姜性微温，味辛，可用于解表发汗、温中止呕、温肺止咳，遇到外感风寒、痰饮、胃寒呕吐等问题，都可以用它。同时它还能够促进食欲、杀毒、防暑提神、缓解腰部疼痛、治疗偏头痛等症，你说它是不是药呢？”荣桑看着小神农，一脸自信。

“生姜居然还有如此大的作用！以前我只知道它能够用来食用。”小神农惭愧地说。

“没关系的，现在你不就知道生姜的其他用途了吗？”荣桑笑起来。

“也对呀！我学到了新的知识，现在知道也不晚！”小神农的心情一下子好了许多。

荆芥——疗效颇多的“神奇草”

吃过早饭，小神农按照师傅临走前的吩咐，带着荣桑到镇子上转一转。幸运的是，今天有集市，所以要比平日里热闹许多。小神农依旧像以前一样，东瞅瞅，西看看，小脑袋瓜完全停不下来。

“慢点跑，别摔倒了！”荣桑在身后紧跟着小神农，唯恐一个不留神就将小神农给丢了。

“荣桑哥哥，你看，是荆芥！”小神农指着一位老农手里的植物说，“说起这荆芥我就生气，上次我跟师傅去山里采草药，一不小心碰到了土荆芥，沾了满手的臭味！所以回来以后我就将所有荆芥的种类全部记了下来！”小神农絮絮叨叨地描述着当时的场景。

荣桑被小神农逗得直笑：“那你说说，这荆芥的特征有哪些？”

“这荆芥啊……”小神农一脸得意地说了起来，“它属于多年生

草本植物。茎坚挺直立，基部多为木质化，分枝也较多，高40～150厘米，基部近乎四棱形，上部为钝四棱形，具有浅槽，被白色短柔毛。叶子为卵状至三角状心脏形，长2.5～7厘米，宽2.1～4.7厘米，先端钝状至锐尖状，基部为心形至截形，边缘具有粗且圆的齿；叶子上面为黄绿色，并被极短硬毛，下面略发白；侧脉3～4对，斜上方生长，其上微微凹陷，下面隆起……”

说到这里，小神农突然顿住了，一会左看看，一会挠挠头，就是想不起来后面的内容。荣桑在一边耐心地提醒：“荆芥也会开花哦。”

“对对对！”小神农立刻想了起来，“荆芥有聚伞状的花序，下部的腋生，上部的组成连续或间断的、比较疏松或极其密集的顶生分枝，组成圆锥花序，但是聚伞花序表现为二歧状分枝。苞叶十分小，大部分是狭窄的苞片状，通常不会比花萼长。花萼的花是管状倒锥形，长6毫米、直径1.2毫米左右；内面是齿锥形，长1.5～2毫米，后齿特长，花后花萼增大成瓮状，纵肋十分清晰。花冠是白色的，下唇

有紫点，长7.5毫米，冠筒特别细，直径0.3毫米，冠檐为二唇形；上唇较短，长2毫米左右，宽有3毫米，顶部有浅凹。下唇大于上唇很多，有3裂，中裂片最宽大，稍微内凹，近似圆形，长3毫米，宽4毫米。基部是不明显的心形，边缘有粗牙齿，侧裂片近乎圆形。小坚果是灰褐色的卵形，长1.7毫米左右，直径1毫米左右。”

“小神农，你记得真清楚呀。”荣桑夸奖起小神农来。

“幸亏有你的提醒，不然连花都忘记说了。”小神农不好意思地摸了摸耳朵。

“那么，荆芥的药性呢？”荣桑笑着问。

“这个我也知道，很多医书里都对荆芥的药性做了说明。《神农本草经》中说它：‘主寒热，鼠瘘，瘰疬生疮，破结聚气，下瘀血，除湿痹。’而《食性本草》又说它：‘主血劳风气壅满，背脊疼痛，虚汗，理丈夫脚气，筋骨烦痛及阴阳毒，伤寒头痛，头旋目眩，手足筋急。’《本草纲目》中也有记载，说它：‘散风热，清头目，利咽喉，消疮肿。治项强，目中黑花，及生疮，阴颓，吐血，衄血，下血，血痢，崩中，痔漏。’所以，荆芥就是一味发汗、解表的药，善于祛风、凉血、除热。”小神农说完，看向荣桑。

“不错嘛！完全正确！”荣桑笑了起来。

——解表的“小耳朵”

小神农与荣桑路过沐春堂，恰巧碰见了沐春堂的掌柜秦小六。因小神农是朱有德的徒弟，秦小六自然记得他。

“小神农这是要去哪里啊？”小六热情地问。

“秦老板好，我带着我朋友来集市上玩。”

“你师傅呢？”小六继续问。

“师傅出门看诊了。”

“原来是这样，朱大夫可真是辛苦。那不打扰你们了。”小六笑着回了沐春堂。

“荣桑哥哥，你看到刚才店老板手里拿的是什么东西了吗？”小

神农看向荣桑。

“那是苍耳。”荣桑毫不犹豫地说了出来。

小神农没有立刻说话，而是眉头先皱了起来。

“苍耳为菊科植物，是一年生草本植物，高20～90厘米。根是纺锤状，有分枝，也有的没有分枝。茎直立不分枝或者有的是少数分枝，下部是圆柱形，直径4～10毫米，上部有纵沟，覆盖着灰白色糙伏毛。叶子是三角的卵形或心形，长4～9厘米，宽5～10厘米，接近全缘，有些有3～5条不明显浅裂，两

头尖或钝，底部为心形或截形。叶子与叶柄连接处呈相等的楔形，边缘有不规则的粗锯齿，有3个基出脉，侧脉是弧形，脉上长有密密的糙伏毛。叶子上绿下白，并覆盖着糙伏毛。叶柄长3～11厘米。雄性头状的花序是球形，直径4～6毫米，有的有花序梗，有的没有。总苞片是长圆的披针形，长1～1.5毫米，托片是倒披针形，长2毫米左右，顶部尖，并稍有些毛。花冠是钟形，在管部上端有5个宽裂片。瘦果是相对的2个，呈倒卵形。”荣桑显然看出了小神农的心思，便对他解释道。

听完荣桑的一席话，小神农的眉头渐渐舒展开来。

“那这苍耳有哪些功效呢？”小神农仍旧心存疑问。

“苍耳性温，味辛、苦，《唐本草》中说它‘主大风，癫痫，头风，湿痹，毒在骨髓，除诸毒螫，杀疳湿匿，主腰膝中风毒，亦主猘狗毒’。《天宝本草》中也记载它可‘去风解毒，治肚大青筋，皮

肤瘙痒，风湿症’。《要药分剂》还说过它可‘治鼻渊鼻首，断不可缺，能使清阳之气上行巅顶也’。”

“原来如此！我知道了！苍耳就是一味发散风寒、通鼻窍、祛风止痛的药材！”小神农大声地说着，“荣桑哥哥你真厉害！我好崇拜你！”

荣桑不好意思地笑了。

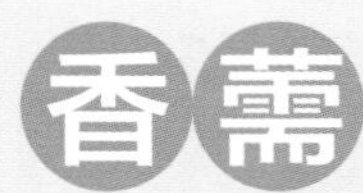

香薷——解表除邪的“麻黄”

小神农带着荣桑继续在集市上游玩，他还特意买了两串冰糖葫芦，并分给荣桑一串，这是小神农每次上街必吃的零食之一。

“想不到麻黄这种草药这么受欢迎啊！”小神农吞下一颗糖葫芦，含糊不清地说道。

“麻黄？”荣桑内心疑惑不解，“小神农怎么突然想到麻黄了呢？”

小神农看荣桑不解，便指着旁边摊位上放着的药材说：“这不是嘛，好多呢。”

“这是香薷！”荣桑看了看，笑起来。

“啊？香薷？香薷是什么？”小神农吃下一颗糖葫芦后追问

起来。

“香薷是唇形科的直立草本植物，长着密集的须根，高度有0.3～0.5米。茎通常自中部以上呈钝四棱形分枝，无毛或有稀少的柔毛，整体是麦秆黄色，但老了之后会变成紫褐色。叶子是卵形或者椭圆状的披针形，顶端慢慢变尖，底部呈楔状向下延长成狭翅，周边长着锯齿。叶上面是绿色，长着稀少的小而硬的毛，叶下面是淡绿色，侧脉有6～7对。叶柄长0.5～3.5厘米，背面平整，腹底凸起，周边有狭翅，长着稀少的小硬毛。穗状花序侧面生长，它由很多轮伞花序的花组成。苞片要么是宽卵圆形，要么是扁圆形，长、宽都有4毫米左右，顶部是尖尖的芒状，尖头长达2毫米，多半有褪色，内、外两面几乎没有毛，但周边会有缘毛。花梗纤细，长有1.2毫米左右，几乎没有毛。花萼是钟形，长1.5毫米左右，外面长有稀少的柔毛，同样内面也没有毛，有5个三角形的萼齿，前两个齿较长，顶部是尖尖的针状，周边有缘毛。花冠是淡紫色，二唇形的冠檐，上唇是有点缺失的直立状态，下唇有展开的3裂，中裂片是半圆形，侧裂片是弧形。小坚果多是棕黄色长圆形，长度有1毫米。”荣桑为小神农解释了香薷的特征。

“原来这不是麻黄啊！看来我又记混了！”小神农边吃边说，“还好师傅不在，不然我又要被说了。”

“你平时看的多是香薷饮片，所以不认识它的原生特征也是在所难免的。”荣桑宽慰道。

“那这香薷有哪些作用呢？”小神农追问。

“香薷性微温，味辛，发汗解暑、逐水散湿，还能温胃调中。《滇南本草》中就说它‘解表除邪，治中暑头疼，暑泻肚肠疼痛，暑热咳嗽，发汗，温胃，和中’。《食物本草》中也说过，用它‘夏月煮饮代茶，可无热病，调中温胃；含汁漱口，去臭气’。所以有中暑、发热、恶寒无汗、胸痞腹痛、呕吐等症，就需要香薷调理了。”

“原来是这样！”小神农连连点头，表示自己记住了。

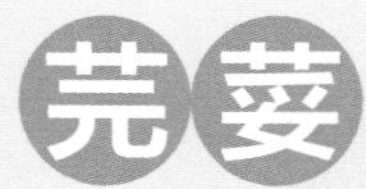

芫荽——能解表的“胡荽”

小神农与荣桑逛完了集市，走在回家的路上时，正好经过周大娘的小菜园。这菜园子虽然不大，却种了许多不同种类的植物，并且分布十分合理，想必这家主人一定是懂得生活之人，荣桑暗自琢磨。

“蒜苗、韭菜、牡丹花……这是什么？”小神农嘴里嘀咕着。

“这是胡荽！”荣桑马上告诉他。

“胡荽？胡荽是什么？我只听说过芫荽。”小神农挠着头，有些迷糊了。

荣桑笑了起来：“小傻瓜，胡荽就是芫荽啊！它们是同一种植物！”

“原来如此！”小神农恍然大悟，拍着脑门说道。

“这说明你对芫荽还不够了解，现在快仔细看看它的特征吧。”荣桑说道。

“荣桑哥哥，你就给我说一下吧，省得我自己又看不全面！”小神农拉着荣桑的袖子撒起娇来。

“芫荽是一年或两年生的草本植物，具有强烈的气味，高20～100厘米。根是细长的纺锤形，并长有很多细条棱。茎的分枝较多，是直立状圆柱形，长有较多狭线形的条纹。根生出有柄的叶，柄长2～8厘米。叶片是全裂的1到2回羽状，裂片反而是广卵形或者扇形，长1～2厘米，宽1～1.5厘米，周边是缺刻或深裂的钝锯齿；上面部分的茎生叶分裂多为3回或更多回的羽状，长5～10毫米，宽0.5～1毫米；顶部是钝状，拥有周边。复伞形花序顶生，或与叶对生。通常没有总苞片，小总苞片是线状锥形的2～5片。萼齿通常大小不等，小的是三角形的卵状，大的是长卵形。花瓣是倒卵形，长1～1.2毫米，宽1毫米。花丝长1～2毫米，花药是卵形，长约0.7毫米。”荣桑无可奈何地给小神农细细讲解。

“这下我就记住了！”小神农笑着，“我虽然不知道芫荽的特征，可我知道它的功效。师傅说芫荽性味辛温，可内通心脾，外达四肢，有发汗透疹、消食下气、醒脾和中的功效，主要治疗麻疹初期透出不畅、食物积滞、胃口不开、脱肛等病症。同时，芫荽辛香升散，能促进胃肠蠕动，有助于开胃醒脾，调和中焦。我说的没错吧，荣桑哥哥？”小神农眨巴着大眼睛问道。

“对对对！完全正确！”荣桑笑着说道。

葱——能吃、能解毒的草药

“咦，这不是小神农吗？”一个声音从门口处传来。只见周大娘一手端着盆子，盆子里放了些许蔬菜，她一定是在为午饭做准备。

“周大娘好！”小神农连忙礼貌地向周大娘问好。

“好久没见你了呢！你师傅呢？你这是做什么去了？”周大娘连续问道。

“我带着朋友去集市上玩了玩。”小神农乖巧地说，“我师傅出门看诊了！”

“哦，这样啊，朱医师可真是辛苦呢！”周大娘感慨道，“来，周大娘这菜园子的东西现在只有大葱能吃，拿点回去做菜吃！”周大娘说罢便放下手中的盆子，为小神农摘取大葱。

“不用了，周大娘，您太客气了！”小神农不好意思地说。

“跟你周大娘还客气什么！来，拿着。”说着便将一把大葱塞进

了小神农的怀里。

“那，那我就不客气了，谢谢周大娘！”小神农笑起来。

“真是不虚此行，还收获了一把大葱。”荣桑打趣地说。

“就是啊。不过也吃不了这么多，剩下了也就没有什么用途了！”小神农惋惜地说。

“你说错了，这大葱除了可以食用，同样是很好的药材！”荣桑反驳道。

“药材？你说这大葱也能入药？”小神农显然无法接受荣桑的这番说辞。

“大葱不仅可以解表，还能够散瘀血，止流血、疼痛及头痛耳聋。除此之外，它还能够除毒，尤其是蛇毒，并且可以治疗下肢水肿，利于滋养五脏、益精明目、发散黄疸病等。”

“原来是这样呀，那我可要好好观察一下它的特征了。”小神农说着举起手里的大葱。

“还有必要再观察吗？这可是我们每时每刻都能看到的，葱有圆柱形的单生鳞茎，稀少部分的底部是胀大的圆形卵状，通常粗1～2厘米，有的可达4.5厘米。鳞茎外皮是白色，极少数的外皮是淡红褐色，膜质虽然至薄革质，但是不会破裂。叶是中空的圆筒状，越到顶端会越窄。花葶也是中空的圆柱状，高30～50厘米，中部往下很膨大，但是向顶部生长时会渐渐变狭。总苞是2裂的膜质。伞形花序是球状，花数虽然比较多但是分布很疏散。小花梗很纤细，底部没有小苞片。花是白色的，花萼片是长6～8.5毫米的卵形，同样是到顶端渐渐变尖。”荣桑熟练地娓娓道来。

“看来我确实平时不善观察，居然把这么好的东西都忽略了，下次肯定好好向荣桑哥哥学习。”小神农斩钉截铁地表着决心，把荣桑给逗笑了。

——不可多得的止咳妙药

回到家，师娘居然不在。小神农一溜烟地跑进了厨房，说：“趁师娘不在，我来帮她做饭好了。”荣桑紧随其后，也来帮忙。

“先生火，然后洗菜……”小神农一边忙活，嘴里一边不停嘀咕着。

“咦？这是什么？”小神农从旁边的盒子里找到了一些黑乎乎的东西，“这是香料吗，荣桑哥哥？”

荣桑看了看说：“这是升麻！并不是香料。”

“那这升麻是做什么的呢？”一听说是草药，小神农立刻来了兴趣。

“《药性论》中说它‘治小儿风，惊痫，时气热疾。能治口齿风

肿疼，牙根腐烂恶臭，热毒脓血。除心肺风毒热壅闭不通，口疮，烦闷。疗痈肿，豌豆疮；水煎绵沾拭疮上’。而《滇南本草》中还记载它‘表小儿痘疹，解疮毒，咽喉（肿）；喘咳音哑，肺热，止齿痛’。不过，《本草纲目》中最全面，说它‘消斑疹，行瘀血，治阳陷眩运，胸胁虚痛，久泄下痢后重，遗浊，带下，崩中，血淋，下血，阴痿足寒’。”荣桑细说道。

“哦，就是说，它是一味解表药。那我要如何分辨它呢？”小神农继续追问。

“升麻是多年生草本植物，它的根茎粗壮而且坚实，是表面黑色不规则的块状。茎高1～2米，底部粗达1.4厘米，长出的分枝是结节状，并覆盖着短柔毛。叶子是二至三回的羽状复叶。下部茎生叶是三角形，最宽有30厘米。顶生小叶片有菱形长柄，长7～10厘米，宽4～7厘米，稍微有浅裂，边缘有粗锯齿。叶面是绿色，叶背面是

灰绿色。侧面生长的小叶是卵形的短柄，它要比顶生小叶稍微小一些，表面也没有毛覆盖，背面沿脉覆盖着稀疏的白柔毛。叶柄可长到15厘米。”荣桑详细地给小神农讲解，“升麻会在每年的7～9月开花，花序分为3～20枝，呈复总状轴生，并覆盖着短柔毛。它的花是两性同朵，有绿白色的5枚萼片，雄蕊多于雌蕊，没有花瓣，而且这花开了容易早落。升麻8～10月结果，是略扁的长圆形蓇葖果，果实表面生有柔毛，里面的种子是褐色椭圆形的，果实的周边长有膜质鳞翅。”

“明白了！这下我就记住了！”小神农自信地说。无事可干的荣桑主动来帮小神农生火。

“哎呀，荣桑哥哥，你在一旁等着就好了，我可以的！”

“没事的，反正我也没别的事。”两个人有说有笑地做起饭来。

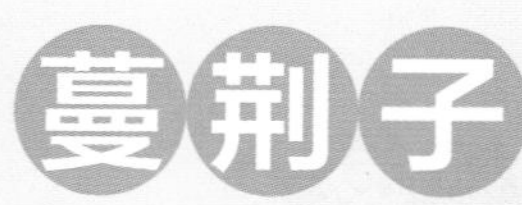

蔓荆子——微寒解表疗效高的“蔓荆实”

“哎呀，荣桑哥哥做的饭就是好吃，连师娘都说你做的饭好吃呢。”吃过午饭，小神农一边满足地摸着自己鼓鼓的肚子，一边悠闲地在阳光下晒太阳。

“你喜欢吃就好！”荣桑也顺势坐在了小神农的身旁，和他一起晒太阳。

突然，小神农一个鲤鱼打挺坐了起来，满脸坏坏的表情，说：“荣桑哥哥，我考考你怎么样？”

“当然好啊！”荣桑眯起眼睛笑着，并不介意。

“有一种草药属于落叶灌木，小乔木，高1.5～5米，具有香味。

小枝呈四棱形，其上生有密生细柔毛……”

“蔓荆子！”小神农刚说了一句话，结果就被荣桑把答案给说出来了。

“荣桑哥哥你作弊！哼！”小神农嘟起了嘴。

“我哪里作弊了？”荣桑一头雾水。

“我不管！那惩罚你将蔓荆子的全部特征都说一遍！”小神农干脆耍起赖来。

“好好好！我说！”荣桑依旧微笑着，“蔓荆子是极为罕见的小乔木，有一股特别的香气，叶子倒卵形对生，叶面下长着密密的灰白茸毛。花期7月，顶生的花序是圆锥

形。萼片分成5裂成钟形，花冠是淡紫色，它的前端也分成二唇形的5裂，长着密密的腺点。落花之后，会结出球形的核果，果实成熟之后是黑色，有股奇特的芳香。”

“还要说它的药效。”小神农噘着嘴，似乎在与荣桑赌气一般。

“蔓荆子性微寒，味辛、苦，有疏散风热、清利头目的功效，一般风热感冒、目赤多泪、头晕目眩、目暗不明都可用它治疗。”荣桑见小神农毫无反应，又继续说道，“《本草汇言》中说，‘蔓荆子，主头面诸风疾之药也。主通利九窍，活利关节，明目坚齿，祛除风寒风热之邪。其辛温轻散，浮而上行，故所主头面虚风诸证。推其通九窍，利关节而言，故后世治湿痹拘挛，寒疝脚气，入汤散中，屡用奏效，又不拘于头面上部也’。所以，蔓荆子是味可与多药配伍，又可单用的好药材。只不过，如果胃虚则不宜服用。这样可以了吗，小神农大人？”荣桑笑着问小神农。

“哼！这还差不多！”于是两人一起笑了起来。

葛根——驱寒解热的补药

“荣桑哥哥，你不会像我师傅一样厉害吧？我猜你一定有不知道的草药！”小神农皱着眉思索了一会儿，突然想起了什么，说，“你等着我。”说着便起身跑进了屋里。

没过一会儿，只见小神农手里拿着几本医书走出来，原来他是要翻书考验荣桑了。

“考你哪个好呢？”小神农认真地翻起医书，“啊！就这个吧！听好了啊！这种草药是豆科植物，有粗壮的藤蔓，藤最长可以长到8米，整根藤上长满黄色且又长又硬的毛，茎的底部是木质，长着粗厚的疙瘩状的根。羽状复叶是3小叶。托叶是卵状长圆形，托叶上有线

条，是线状披针形。小叶大部分有三裂，极少有全缘的；顶生小叶呈现卵形或斜卵形，长8～15厘米，宽5～12厘米，先端长渐尖；侧面生长的小叶是斜卵形，上面平伏的疏柔毛，呈淡黄色。它的荚果是长椭圆形的，长5～9厘米，宽8～11毫米，而且果实表面覆盖着褐色的长硬毛。你猜这是什么草药？”

“这到底是什么呢？我怎么一点印象也没有。”荣桑皱起了眉头，好像真的猜不出来一样。

“我就说吧，肯定有荣桑哥哥你不知道的草药！”小神农得意起来。

“那这到底是什么呢？”荣桑假装很好奇地问道。

“这个是葛根呀！”小神农学着师傅的口吻说道。

“原来是葛根呀！那它有何作用呢？”荣桑眨巴着眼睛，故意问。

“书上写了，我念给你听啊！《本草汇言》曰：‘葛根，清风寒，净表邪，解肌热，止烦渴。泻胃火之药也。尝观发表散邪之药，其品亦多，如麻黄拔太阳营分之寒，桂枝解太阳卫分之风，防风、紫苏散太阳在表之风寒，藁本、羌活散太阳在表之寒湿，均称发散药也。而葛根之发散，亦入太阳，亦散风寒，又不同矣，非若麻、桂、苏、防，辛香温燥，发散而又有损中气之误也；非若藁本、羌活，发散而又有耗营血之虞也。’”小神农合上书，得意地说，“所以，葛根是味解表药，其性凉，味甘、辛，善升阳止泻、解肌退热、生津止渴，用来治疗表证发热、热泻热痢、项背强痛、阴虚消渴、麻疹不透、脾虚泄泻都非常不错。”

“原来是这么回事。”荣桑掩饰着脸上的笑容说道，“小神农真是厉害呢！”

“荣桑哥哥你不要敷衍我了，你肯定早就知道！”小神农非常聪明，看荣桑的表情就知道自己又被骗了。

荣桑也忍不住笑起来，两个人你一句我一句，聊着聊着竟睡着了。

薄荷——嫩绿叶子的特效药

小神农睡得香甜，直到太阳都快落山了，才迷迷糊糊地睁开双眼，发现自己身上多了一条被子，但却不见荣桑的身影。

“荣桑哥哥，你在哪里呀？”小神农一边揉着眼睛一边喊道。

“在这呢！我在后院！”不远处传来荣桑的声音。

小神农来到后院，只见荣桑正在为朱有德种植的草药浇水。

“你都不知道照顾这些草药，你看，这薄荷差点死掉。”荣桑边说边指给小神农看。

“不会吧，如果真的死掉了，师傅肯定又要生气了。”小神农在心里暗暗想着，连忙从荣桑手中接过手壶，一边给薄荷浇水，一边问道：“荣桑哥哥，这薄荷是干嘛用的？感觉味道怪怪的。”

“薄荷性凉，味辛，具疏散风热、清利头目、利咽透疹、疏肝行

气之效，可缓解腹痛、胆囊问题，如痉挛等；同时还能治疗头痛、外感风热、食滞气胀、口疮、牙痛、疮疥、肝郁气滞、胸闷胁痛等症。如果大量食用薄荷会导致失眠，但小剂量食用不仅不会失眠，反而有助于睡眠。”荣桑解释道。

“那它会长成一棵大树吗？还是只这样两片小叶子？”小神农看着刚萌芽不久的嫩薄荷问道。

“薄荷属于多年生草本植物，肯定不会长成树的。它的茎锐四棱形直立生长，高30～60厘米，有4个槽，上面覆盖着柔毛，生长的枝叶很多。你来看，它的叶片是长圆状的披针形，顶部比较锐尖，底部是接近圆形的楔形，侧生的次主脉一般有5～6对。叶柄长2～10毫米，表面覆盖着微柔毛。它的轮伞花序是球形的，腋生，花径18毫米，可以分为两种，有梗的或是无梗，梗最长能长到3毫米，并且上面覆盖着微柔毛。花梗非常纤细，长2.5毫米。花萼是管状的钟形，长2.5毫米，外面会有些柔毛，但是内面没有毛，长着10对叶脉，不过不是很明显，有5个狭长的三角钻形的萼齿。花冠是淡紫色的长圆形，长4毫米，顶部是钝状。果实是黄褐色卵珠形的小坚果，而且长有特别的小腺窝。”荣桑认真说着。

“这下我可认识它了！”小神农说道，“幸好有荣桑哥哥在，不然等师傅回来，我一定会被骂的！”说着，小神农做出了一副可怜兮兮的表情。

“下次记得就好啦！”荣桑宽慰道。

桑椹——解表的紫色“果实”

因为小神农非常想吃紫藤糕，所以二人便决定上山采些紫藤回来。这天一早，像往常一样，天还未大亮，小神农便与荣桑收拾好药筐上山了。

“荣桑哥哥，我们镇子的山你不熟悉，你跟着我，别走丢了！”小神农像个小大人一样对荣桑叮嘱道。

“好！我知道了！”荣桑依旧面带微笑。

一路上，小神农学着师傅的样子走在前面，而荣桑跟在他后面。

“荣桑哥哥，我跟你说啊……”小神农因为习惯性跟在朱有德身后，所以只顾着自己向前走，却完全没发现荣桑没有跟过来。当他再回过头时，才发现荣桑不见了。

“荣桑哥哥！荣桑哥哥！……”小神农大声喊道。

“来了！我来了！”稍远的地方传来荣桑的声音。

“荣桑哥哥你去哪里了？吓死我了！我不是让你跟着我么！”小神农用略带责备的语气说道。

“对不起啊，我刚才看到那边有桑树，于是便去采了一些桑椹。给，可好吃了！”荣桑看小神农着急的样子，不好意思起来，忙把手中的果子递给他。

“哇，真好吃啊！”一看到有吃的，小神农便将之前的事情全部抛诸脑后了。

“这桑树长成什么样啊，我怎么没发现？”小神农边吃边问。

“桑树属于落叶乔木或为灌木，高3～10米或者更高，胸径有的会达到50厘米，树皮是灰色而且比较厚，树皮上布满不规则的纵向浅浅的裂痕。冬天发芽是卵形的，芽鳞灰褐色，排列成覆瓦式，小枝上长着细毛。叶子是卵形，或者广卵形，长5～15厘米，宽5～12厘米，顶部一般分为急尖、渐尖和圆钝3种形式，底部由圆形到浅心

形，周边是粗钝的锯齿；叶面是鲜绿色，叶背面沿脉覆盖着稀疏的毛。叶柄长1.5～5.5厘米。托叶是披针形，表面覆盖着密密的细硬毛。花是腋生的，单性，和叶子一起生长。雄花的花萼是淡绿色的宽椭圆形；雌花花序长1～2厘米，表面上覆盖着毛，总花梗长5～10毫米，并且长着柔毛，花萼的顶部是圆钝的倒卵形，表面和四周都覆盖着毛。聚花果是卵状的椭圆形，长1～2.5厘米，果实成熟后，有的是红色，有的是暗紫色。”荣桑解释道。

“这么好吃的东西，要是可以入药就完美啦，病人该多喜欢啊。”小神农一口气将剩下的桑椹全部吃掉了。

“它当然可以入药啊，桑的根、枝、皮、叶都是药，但是桑叶作用更多，可以疏散风热、清肺、明目。主要用于治疗热感冒，发热头痛，风温初起，汗出恶风，咳嗽胸痛，以及肺燥干咳无痰，咽干口渴，风热及肝阳上扰，目赤肿痛等症状。”荣桑说道。

“就是说可解表疏散对吧？那等我们下山的时候，就去采一些回家吧！刚好我再采点桑椹，好好吃哦！”小神农显然没有吃过瘾。

“好呀！”荣桑笑了起来。

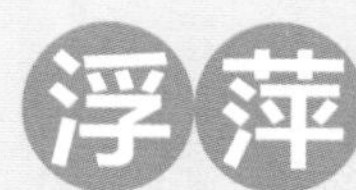

浮萍 ——漂浮于水中的中药

不知不觉间，二人来到了一处池塘边，只见池塘里长满了绿色的小叶子。

“这上面漂的是什么叶子啊？”小神农被眼前的景象惊住了。

“这是浮萍，不是落叶。这是一种水面浮生植物，可以带根全草入药呢！”荣桑解释说，“浮萍是漂浮植物。叶子生长的状态是对称生长，叶面是绿色，叶子背面有的是浅黄色，有的是绿白色，甚至有的是紫色。叶子形状接近圆形，绝大多数是倒卵形或者椭圆状的倒卵形，周边没有分裂，长1.5～5毫米，宽2～3毫米；叶面稍微有凸起，有的是沿中线隆起，脉线有不明显的3条；叶子背面长着1条白色的垂生丝状物，长3～4厘米。根冠是钝头的，根鞘没有翅膀，形状像叶子，背面旁边长着一个囊。”

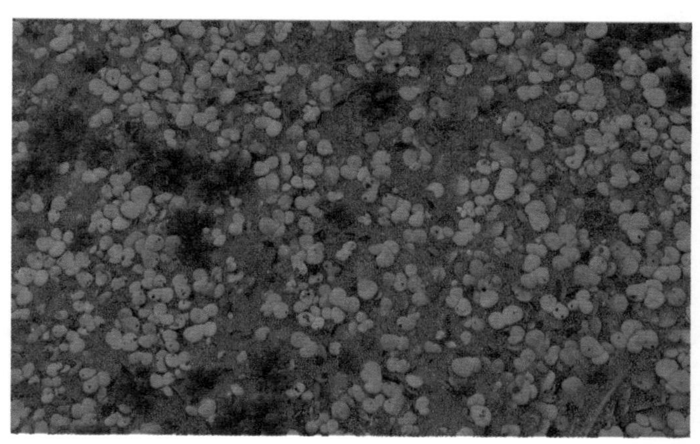

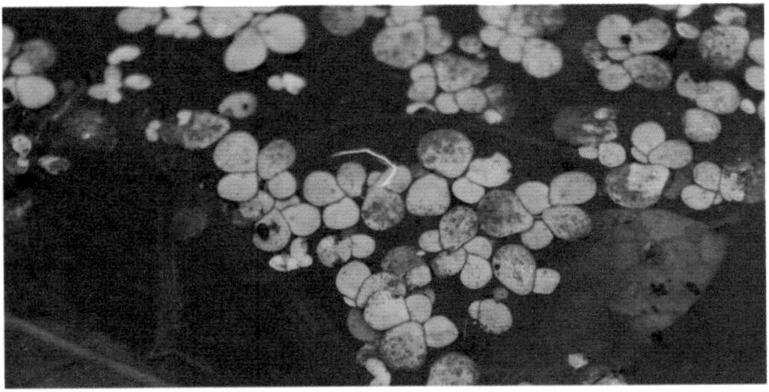

“我还是第一次见到这种植物呢！真新鲜！”小神农兴致勃勃地说：“我去捞一些上来，带回家入药吧。”

“不行，这样下去太危险了。等回家做一个网袋再来，就可以站在岸上捞浮萍了。”荣桑制止小神农下河。

“那好吧，不过这浮萍有何作用呢？”小神农问道。

“《本草纲目》中说它‘主风湿麻痹，脚气，跌仆损伤，目赤翳膜，口舌生疮，吐血，衄血，瘫风，丹毒’。《玉楸药解》则记载它‘辛凉发表，治瘟疫斑疹，中风㖞斜，瘫痪；医痈疽热肿，隐疹瘙痒，杨梅，粉刺，汗斑’。另外，《岭南采药录》中也提到过，‘凡患风斑，以紫背浮萍沐浴数次；凡中水毒，手足至肘膝俱冷，用之煎水浸洗’。”荣桑对小神农说道。

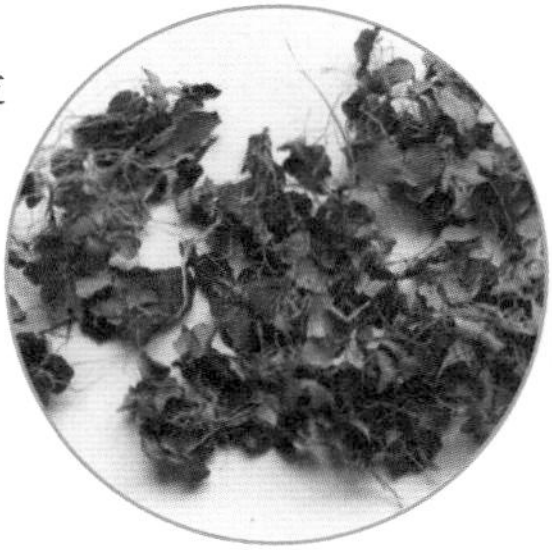

“哦，我知道了，浮萍应该是一种发汗透疹、清热利水的药材，对不对？”小神农点着头，总结说。

“没错，所以用它可以治疗表邪发热、麻疹、水肿等症。”两个人一边说着话，一边又朝前走去。

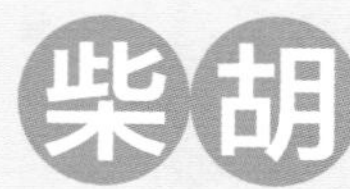

柴胡——利于驱寒的草药

“小神农你快来！你看这是什么？”走着走着，荣桑突然喊道。

“啊！这是柴胡呀！”小神农快速来到荣桑身边，一看那植物，马上认出来了。

“你很厉害呀，连柴胡都认识呢。”荣桑笑着说。

“当然呀，师傅之前教过我的，我记下了它的特征，当然就认识了。”小神农这回可神气了，“柴胡属于被子植物，是多年生的草本植物，高40～80厘米，主根特别粗大，茎是单一生或者数茎丛生，主干上面会有很多分枝，叶子都是成对生长的，不过底部的叶子大都是倒披针形，茎上的叶子是长圆状披针形。叶面是鲜绿色，叶背面是淡绿色，似有些白霜。柴胡在7～9月会开花，复伞形的花序，花总苞是狭长的披针形，有2～3片，小苞片有5～7片。它的花朵是鲜黄

色，顶部向内折，中间有隆起，花瓣是舌片半圆形。果实是棕色椭圆形双悬果，两边稍微扁而且有棱角，棱槽中有5～6条油管。”

“你了解得可真详细，那你能说出它有哪些作用吗？”荣桑好像有意要考验小神农一样。

“柴胡性微寒，味苦、辛，最能疏肝利胆、疏气解郁、散火了。《滇南本草》中也说过，‘伤寒发汗用柴胡，至四日后方可用；若用在先，阳症引入阴经，当忌用’。而《本经逢原》中则说‘柴胡，小儿五疳羸热，诸疟寒热，咸宜用之。痘疹见点后有寒热，或胁下疼热，于透表药内用之，不使热留少阳经中，则将来无咬牙之患’。”小神农毫不犹豫地说。

“可是，据我所知，柴胡又被分为北柴胡和南柴胡，它们有什么不同吗？”荣桑继续问。

“其实它们有很大区别的，北柴胡的根部是圆柱形，长6～15厘米，主根粗大坚硬，大部分会有少数的根须，有3～15个，而且外皮是黑褐色，有纵向的皱纹、支根痕以及皮孔，根部不但坚硬而且有韧性，截面有较多纤维，味道特别苦。反观南柴胡的根则比较细，顶部有很多的细毛似的枯叶纤维，下面基本没有分枝，外皮是红棕色。南柴胡的主根稍微柔软，但是很容易折断，截面特别平坦，闻起来有些败油气味。”小神农说得头头是道。

“真长见识啊，没想到你对中药了解得这么详细呢。”荣桑夸奖着小神农。

“记不全不行，师傅会说我的。现在我要采摘一些带回去，给师傅入药用。”小神农说着便伸手采摘了一些。

此时天色已晚，小神农与荣桑匆匆向山下走去。

羌活——解表散寒的植物根茎

朱有德终于回来了，荣桑也该回去了。于是，小神农又恢复了每天和师傅一起上山的生活。

这天刚过了正午时分，朱有德和小神农吃过了饭就来到了山脚下的小溪边散步。

溪边树木繁盛，树阴连天，不仅挡住了炽热的阳光，就连吹过来的微风都透着凉爽。小神农背着竹篓跟在师傅身后，忽然看见师傅从布兜里拿出了一块看上去脏兮兮的块状物，不禁问道："师傅，您手里拿着的是什么呀？"

朱有德笑着说："这是羌活，我记得你在书上曾经见到过，怎么这会儿就不认识它了？"

小神农望着师傅手里那团呈深褐色，像是植物根茎一样的块状

物，皱着眉说："书上说，羌活是多年生草本植物，能长到60～120厘米，其根茎粗壮，呈竹节状，根颈部有枯萎叶鞘，茎为直立中空的圆柱形，上面有呈纵直的细条纹。而且，它的叶子是三出式三回羽状复叶，末回裂片是长圆状卵形至披针形；其花序为复伞形，花瓣呈白色的卵形至长圆状卵形。这些描述和师傅您手里拿着的这块呈深褐色的东西一点都不像呀……"

朱有德抚了抚胡须，故意问道："那你说我手里的这块东西像什么？"

小神农想了想说："像从土里挖出的某种植物的根茎。"

"傻孩子，你说的其实都是对的，你描述的是植物的外形特征，而我手里的这块东西是伞形科植物羌活的干燥根，也就是它入药的部位。"朱有德将羌活递给小神农。

"原来这就是中药用的羌活啊。"小神农说，"这可是解表散寒的良药呢！"

"哦？你还知道它的功效？"朱有德诧异地看向小神农。

小神农点点头："我在《雷公炮制药性解》这本医书里看到过，'羌活气清属阳，善行气分，舒而不敛，升而能沉，雄而善散，可发表邪，故入手太阳小肠'。它性温味苦，能入膀胱、肾经，具有解表散寒、祛风胜湿、止痛治疮的功效。"

"那羌活能治疗哪些疾病呢？"朱有德接着问道。

"它能用来治疗风寒感冒、风寒湿痹、风水浮肿、痈疽疮毒以及项强筋急等病症，《本草备要》中还记载了羌活可'泻肝气，搜肝风，治风湿相搏，本经头痛，督脉为病，脊强而厥，刚痉柔痉，中风不语，头旋目赤'。所以说，它的用处可大着呢！不过羌活辛香温燥之性较烈，所以阴亏血虚、阴虚头痛、血虚痹痛者慎用此药。"小神农认真地回答道。

"是的，你都答对了！"朱有德看着小神农乐呵呵地笑了起来，看来用不了多久，这个聪颖的徒弟就要超过自己了！

白芷——解表散寒的特效药

清澈见底的溪水顺着山势蜿蜒而下，小神农弯下身子，用双手捧了些水喝。

“真清凉！”小神农抹了抹嘴，转过头却看见溪水边长着一簇像小雨伞一般的白色花朵。那些花成团成团地开着，每一团由十来朵白色的小花组成，小花中间又围着好几颗像珍珠一般的小花苞。

“师傅您瞧，这是什么花呀？我以前都没见过呢！”小神农问道。

“这是白芷呀，我记得前些天我教过你关于白芷的药理知识，难道你忘记了吗？”朱有德说道。

小神农摇摇头，连忙说道：“师傅您教的我怎么可能会忘记？

白芷性温，味辛，归肺、脾、胃经，具有解表散寒、祛风止痛、燥湿止带、消肿排脓的功效，可治疗风寒感冒、头痛牙痛、风湿痹痛、鼻渊、带下以及疮痈肿毒等病症。师傅您说的这些知识我都记得，但是，白芷不是呈圆形至长椭圆形的白色厚片吗？怎么又变成白色的小花了？”

朱有德不禁笑了起来：“傻孩子，你看到的那些呈圆形至长椭圆形的白色厚片的确是白芷，不过，那是伞形科植物白芷或杭白芷的干燥根，而现在你找到的是白芷的整个植株。”

小神农睁大了眼睛，问道：“所以说中药用的白芷就是植物白芷的干燥根吗？”

“是的。白芷是多年生高大草木，通常长在林下、林缘、溪旁、灌丛及山谷地带，喜欢温和湿润的气候环境。白芷能长到1～2米高，其根为圆柱形，根上有分歧，其茎有3～5毫米，外表皮呈黄褐色至褐色，伴随有浓烈的气味。”朱有德说。

“它的叶子上还有锯齿。”小神农补充道。

朱有德点点头说：“没错，白芷的叶片轮廓为卵形至三角形，长15～30厘米，宽10～25厘米。末回裂片有的是长圆形，有的是卵形或线状披针形，边缘有不规则的白色软骨质粗锯齿。”

朱有德拿起水壶喝了口清甜的溪水，继续说道：“白芷的花为复伞形，直径为10～30厘米。花序梗长5～20厘米，伞辐长18～40厘米，上面均有短糙毛。白芷花的花瓣为白色，呈倒卵形，顶端内曲成凹头状。要是等到9月份，咱们还能看见它呈长圆形至卵圆形的黄棕色果实。”

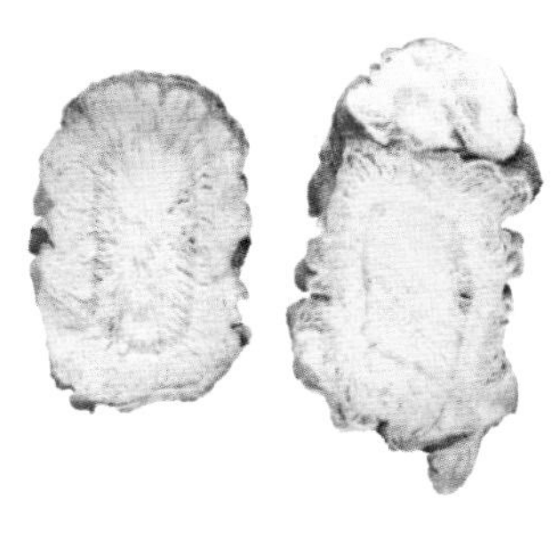

“我明白了，师傅。现在我就采一点白芷的根，等回去后晒干备用。”

小神农的话还没说完就被朱有德打断了：“白芷的根可不是随随便便晒干就能拿来当作药材的，你采摘完后必须先拣去杂质，用水洗净、浸泡，捞出润透，放到太阳下晒至外皮无滑腻感时，再闷润切片，等干燥后才能使用。”

小神农将师傅的话牢牢记在心里。

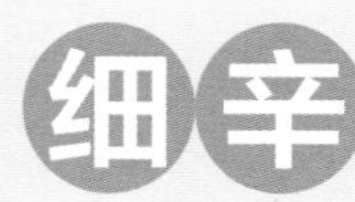

细辛——形似根茎的解表药

这天，朱有德要到镇上去给人看诊，便让小神农帮忙整理药箱。小神农走到桌前，将药箱里的药材逐个拿出来整理。他拿着拿着，忽然拿出了一团黄褐色的枯草。他仔细看了看，说是枯草又不太像，倒更像是人参的须茎，又像许许多多又细又长的根茎，它们拧在一块儿，尾端连着一个接近黑色的结。

小神农心想，或许这只是某种植物枯萎的根茎吧，应该也没什么用处。他拿着那团枯萎的根茎，正要丢到外面去，朱有德连忙走上前拦住了他："傻徒儿，这可是种珍贵的药材！"

小神农惊讶地问道："这团东西是药材吗？可我怎么看都觉得它是杂草呀……"

"中药多种多样，一些看似不起眼的东西有可能就是宝贵的药材，师傅说的这些话你难道又忘了吗？"

小神农有些不好意思地低下头："我没有忘记。"

朱有德认真地说："这是一味中药，名叫细辛，又叫小辛、少辛。它是马兜铃科多年生草本植物，植物上的叶子通常有两枚，呈心形或卵状心形，叶面疏生短毛，叶脉上覆有较密的毛，叶背只有脉上覆毛。在4~5月，它会开出紫黑色的花，等到花期过了就会结出近似球形的棕黄色果实。当然，细辛入药的部位既不是花，也不是果实，而是它的干燥根和根茎。”

小神农恍然大悟：“难怪我觉得它就像某种植物枯萎的根茎。”

“是的。细辛的根状茎呈不规则圆柱形，表面呈灰棕色，为直立或横走，上面有环形节，节上有多条须根。这些根须表面呈灰黄色，质地较脆，容易折断，折断后的断面平坦，呈黄白色或白色。”朱有德补充道。

小神农听了，伸手掰下一截根须，果然就和师傅说的一样。他凑近闻了闻，竟然还有香味！他伸出舌头轻轻地舔了一下，舌头一下子就变麻了。

朱有德不由得笑了起来：“这细辛味辛气香，闻起来的确有很强烈的香味，但可别轻易品尝，它会麻舌的！”

小神农吐了吐舌头，问道：“那么，师傅，这细辛有什么功效呢？”

“细辛性温，味辛，归心、肺经，可解表散寒、祛风止痛、温肺化饮，适用于风寒感冒、牙痛头痛、风湿痹痛、肺寒咳嗽等病症。此外，细辛还能入肾经，所以《内经》中记载‘肾苦燥，急食辛以润之’。”

朱有德顿了顿，继续说道：“不过也并不是所有的患者都适用细辛。你要记住，阴虚阳亢头痛、肺燥伤阴干咳者忌用细辛，并且细辛不可与藜芦一起使用。”

小神农郑重地点了点头，师傅说的话他一向都牢记于心，不敢忘记。

淡豆豉——“发霉”的豆子

对于小神农而言，师傅的药箱就像是一个百宝箱，里面总是装着许许多多他从来都没有见过的珍贵药材。这不，他刚准备把药箱里的一些药材拿出来，就看见了一颗颗瞧上去脏兮兮的豆子。小神农将豆子抓了些在手里，仔细看了看，这一颗颗豆子就像蚕豆一般呈椭圆形，但又比蚕豆小一些，豆子的表面黑乎乎的，看上去更像是从泥巴里捞出来的黄豆。

“难道这些是发霉了的豆子？”小神农皱起眉头，转过身问朱有德，“师傅，您为什么要把这些发霉的豆子装进药箱里呢？要是不小心吃了说不定还会闹肚子呢。”

“哦？发霉的豆子？”朱有德诧异地看着小神农手中抓着的黑色豆子，随即笑着说，“傻孩子，这可不是什么发霉的豆子。这是一味中药，名叫淡豆豉，是豆科植物大豆的成熟种子的发酵加工品。”

“您说的大豆是我们平时吃的黄豆吗？”

朱有德微微点头，说：“是的，它是一年生草本植物，茎上有较多分枝，上面覆有黄褐色的长硬毛。而淡豆豉则是它的种子，质地柔软，外形呈椭圆形，略有些扁。”

“原来是这样，不过这些淡豆豉看上去怎么脏兮兮的？”

朱有德听了不禁哈哈笑了起来：“傻孩子，你再仔细瞧瞧，淡豆豉只是因为表面是黑色的，皱缩不平，且侧边有棕色的条状种脐，所以看上去才会觉得有点脏。”

小神农仔细观察了片刻，果然和师傅说的一样。

“但是，看东西往往不能只看外表。淡豆豉的外表虽然丑陋，但它却有很大的药用价值。它性寒，味苦，归肺、胃二经，具有解表解毒、除烦宣郁的功效，可用来治疗伤寒热病、寒热头痛、胸闷烦躁等病症。此外，《本草纲目》中也有记载，淡豆豉‘下气，调中，治伤寒温毒发痘，呕逆’，是解表的良药。”朱有德讲解道。

“没想到一枚小小的种子竟然也是治病的中药，中医果然是博大精深，看来我要学习的东西还有很多呀！”小神农笑着感叹说。

——外表平平的解表药

一个晴朗的周末，朱有德领着小神农到村子附近的湿地转悠。泥泞的路面一踩一个脚印，不一会儿师徒俩的鞋子都沾满了脏兮兮的泥巴。小神农撅着嘴，不禁问道："师傅，咱们为什么要到这里来呀？您瞧我的鞋子，外头可全是泥巴。"

"因为今天咱们要采的一味药材就喜欢长在这种阴湿的环境里。"朱有德回答说，"它叫做木贼，通常生长在坡林下的阴湿处、湿地或小溪边，咱们在这四周找找，一定能找到它。"

"木贼？这名字可真奇怪，我以前从来都没听说过这种药材的名字。师傅，您能告诉我木贼长什么样吗？"小神农挠了挠头。

"当然可以。木贼是一种大型植物，它的根茎为直立或横走，表

面呈黑棕色，节和根上都长有黄棕色的长毛。”朱有德说。

小神农记住师傅描述的外形特征，开始向四周寻找。

朱有德继续补充道：“木贼的地上枝可高达1米多，其节长5～8厘米，为绿色，有16～22条背部为弧形或近方形的脊，仔细观察的话可以看见上面的小瘤。你还要注意鞘筒，它大约有1厘米，顶部及基部各有一圈或仅顶部有一圈黑棕色。”

小神农一边寻找，一边问道：“那它的顶端长什么样呢？”

“它的顶端呈淡棕色的芒状，早落，下部呈黑棕色。”

小神农仔细地搜寻着，忽然他眼睛一亮，高兴地喊道：“师傅！您快来！我找到木贼啦！”朱有德连忙走过去看，果然是木贼。

“它长得既像草，又像竹子，一节一节的。”小神农说，“就是不知道它有什么功效。”

“木贼看上去普普通通的，但作用可不小。它性平，味苦，归

肺、肝、胆经，可起到疏风散热、解肌退翳、止痢消肿等作用。”朱有德笑着说。

“那它能治疗哪些疾病呢？”小神农追问。

朱有德这回没有直接告诉他答案，而是故作神秘地说：“你不妨猜猜看。”

小神农想了想，说：“木贼能止痢消肿，就是说可以治疗血痢脱肝；能解肌退翳，也就是说可以治疗云翳流泪。”

朱有德满意地点了点头：“没错，《草木便方》中记载木贼可‘通气，明目，利九窍，治跌伤，消积滞，止嗽化痰’。我们采一些木贼回去，洗净，稍润，剪去根部，再切段晾干，正好拿给村里一些患有喉痛痈肿、肠风下血等病症的村民使用。”

“好的，师傅！”小神农高兴地说。

——全身上下·都是宝

这天，朱有德打算整理书架上的医书，便让小神农自己到附近转转，看看有没有什么新发现。

结果，没一会儿的工夫，小神农就蹦蹦跳跳地跑回来了，刚一进门他就喊道：“师傅，您快瞧瞧我采了什么回来？”

朱有德一看，小神农手里握着一束浅紫色的花。聚伞花序排成圆锥花序式，生在顶端，长10～12厘米，花序梗上覆有灰白色的茸毛。其花萼呈钟状，顶端有5个裂齿，裂齿外也覆有灰白色的茸毛。其花冠为淡紫色，外部被少量柔毛，雄蕊就从花冠里伸了出来。

朱有德一瞧就知道小神农手里拿的是什么，但他看着小神农一副

胸有成竹的样子，便故意问道："哦？这是什么呀？"

小神农一听，果然高兴地说道："原来师傅也有不认识的药材呀！我告诉您，我手里拿着的是黄荆的花。黄荆是一种落叶灌木，能长到2～5米，通常生长在山坡路旁或灌木丛中。它的小枝是四棱形的，上面长着密密的灰白色茸毛。复叶为掌状，小叶有3～5枚，呈绿色的长圆状披针形至披针形，背面长有灰白色茸毛，全缘或每边有少数粗锯齿。"歇了口气，他接着说，"现在是6月，正是开花的季节，等到7月的时候就能结出果子了。"

"它的果子长什么样呢？"朱有德故作不解地问道。

小神农回答道："它的核果接近球形，为黑色，直径大约有2毫米，其宿萼接近果实的长度。"

"那么，你采摘黄荆的花是因为它的花是药材吗？"朱有德问道。

小神农此时就像是一名小老师一样，他昂起头，挺起胸脯说道："黄荆全身上下可都是宝！它的根、茎、叶、果实都能入药。其根、茎性平，味苦、微辛，具有清热止咳、化痰截疟的功效，可用于支气管炎、肝炎、疟疾等疾病。其叶性凉，味苦，能化湿截疟，适用于感冒、肠炎、痢疾、疟疾以及泌尿系感染等疾病。"小神农顿了顿，继续说道，"此外，叶子除了内服，还可煎汤外洗，用于治疗湿疹、皮炎、脚癣。"

"那它的果实又有什么功效呢？"朱有德又问。

"它的果实性温，味苦，可止咳平喘、理气止痛，适用于咳嗽哮喘、消化不良、胃病肠炎等疾病。"说完，小神农不无得意地说，"这些知识都是我从医书里面学到的，等以后我学到更多医学知识，我再慢慢地讲给师傅您听。"

朱有德乐呵呵地抚摸着胡须，回答说："好，师傅等着你。"

五色梅——观赏价值高的解表灵药

一天早晨，小神农急匆匆地从园子里跑出来，一边喘着气，一边对朱有德说道：“师傅！师傅！园子里竟然开出了五颜六色的花！”

朱有德坐在桌前，一边悠然自得地翻着医书，一边说道：“园子里开出五颜六色的花不是很正常吗？师傅的园子里可是种了许许多多颜色形态各异的花草呢。”

小神农着急地直摇头：“不是、不是，师傅！我是说有一株植物，它竟然同时开出了白色、紫色、红色和黄色的花朵！哎呀，您快去瞧瞧吧，是不是那株花木变异了呀？”

朱有德想了想，随即笑着说："我知道了，你说的应该是五色梅。"

"五色梅？"小神农不解地问道，"它是梅花的一种吗？"

朱有德拍了拍小神农的小脑袋，说："五色梅又叫马缨丹，是马鞭草科直立或半蔓性灌木植物，通常能长到1～2米高。其茎呈四方形，覆有短柔毛，通常有较短的倒钩刺。其叶为卵形或卵状长圆形，对生，两面粗糙有毛，如果揉烂了会发出强烈的气味。"

"既然它属马鞭草科植物，为什么要叫五色梅呢？为什么它的花又是五颜六色的呢？"小神农问。

"因为它的花筒细长，顶端多为五裂，模样就像梅花一般。它的花序是由多数小花密集成半球形的，花色多变，刚开花时为黄色或粉红色，过不了多久就会变成橘红色，再转变为红色，有的还会变成紫色。在同一花序中，它的花朵颜色各异，所以才会被人们称为'五色

梅’‘五彩花’。”

“原来是这样，我还是头一回见到一个花序上长出不同颜色的花。”小神农说。

“正是因为这一点，许多人将五色梅养成盆栽用于观赏。但很多人却并不知道，五色梅不仅只是外表好看，它实际上有着巨大的药用价值。”朱有德补充道。

“难道五色梅也是一味药材吗？”小神农惊讶地问道。

朱有德点点头，说：“是的。五色梅全身都是宝贝，医书中曾记载，五色梅‘有清热解表、散结止痛、祛风止痒之效；可治疟疾、肺结核、颈淋巴结核、腮腺炎、胃痛、风湿骨痛等’。其枝、叶性凉，味苦，虽有微毒，但具有祛风止痒、解毒消肿的作用，可治疥癞毒疮。其花性凉，味甘，可治跌打出血。其根性凉，味淡，可清热解毒，散结止痛。”

“原来五色梅有这么大的用处，我得赶紧去采一些回来备用。”小神农说完便风风火火地跑到园子里去了。

鸭脚木——解表祛湿、消肿化瘀的良药

吃过午饭，小神农便坐在桌前专心地看医书。这时，门口忽然传来了脚步声和说话声，他放下书刚走到门口，就看见一个人将一个高大的盆栽搬进了屋子，那人正是师傅前几天到镇上看诊的病人，他将盆栽放稳，和师傅道了声谢就离开了。

小神农这才走到师傅身边，看着高高的盆栽，问道："师傅，那个人为什么要送一盆树给您呢？"

朱有德笑着说："他是为了感谢师傅治好了他的病，所以送来了一盆鸭脚木表示感谢。"

"鸭脚木？"小神农惊讶地盯着盆栽里的树，实在想不明白为什么这棵树会有这么奇怪的名字。

"鸭脚木又叫鹅掌柴，它能长到2～15米高，所以可以说是乔木，也可以说是灌木。你看，它的小枝比较粗壮，当它的小枝较为幼嫩时，上面会密生星状短柔毛，但当它的小枝变得干老时，上面就会出现皱纹。"朱有德介绍道。

"师傅，为什么它会叫鸭脚木呢？"小神农不解地问道。

"因为它的叶子。"朱有德指着鸭脚木的叶子说道，"你看，这一片叶子展开，上面有6～9片小叶，小叶又呈椭圆形、长圆状椭圆形或倒卵状椭圆形，且有的叶柄上长有稀疏的星状短柔毛，看上去是不是就像鸭子的脚掌？"

小神农点点头，说："听师傅您这么一说，确实很像，难怪会被人叫做鸭脚木。"

"可惜现在正是夏天，鸭脚木的花期在11月左右，所以我们现在看不到它开花。”朱有德有些惋惜地说道。

“鸭脚木还会开花吗？”

朱有德回答说：“当然会开花。它的花序为圆锥形，长20～30厘米。其分枝斜生，上面有几个或十几个不等的总状排列的伞形花序，花序有10～15朵小花，其花瓣为白色，盛开的时候会反曲。”

小神农看着鸭脚木说：“真希望赶快到11月，这样就能看到它开花了。”

朱有德微微一笑，说：“赏花倒是其次的，鸭脚木最大的价值并不是用来观赏，而是入药。”

“啊？难道这棵树也是中药吗？”小神农大吃一惊。

“是的，鸭脚木的根皮即是入药的部位。干燥后的根皮呈长方形块片状，微微向内弯曲，表面呈灰暗色，上面有不明显的横向皮孔，内面呈光滑的灰棕色。据《生草药性备要》中记载，‘鸭脚木之根皮味涩，性平，可治酒病，洗烂脚，敷跌打，十蒸九晒，浸酒祛风’。此外，《陆川本草》中也提到过，鸭脚木可‘发汗解表，驳骨止血，消肿止痛；治风湿骨痛，跌打骨折，伤积肿痛，刀伤出血’。可见它是解表祛湿、消肿化瘀的良药。”

小神农一边仔细听着，一边掏出一本小册子将师傅讲解的知识全都记录在上面。朱有德看在眼里，心里满满的都是欣慰。

玉叶金花——白色叶子的神奇草药

自从收了小神农这个小徒弟，朱有德几乎每天都要带着他上山采药，好让他在实践中加深对中草药的认识。对此，小神农不仅不觉得辛苦，反而十分兴奋。

可是今天，朱有德却并没有上山，而是领着他来到了山脚下的灌木丛里。

“师傅，我们今天不采药了吗？”小神农问道。

“当然要采药呀。”朱有德回答。

“那咱们为什么要到灌木丛这里来呢？药草一般都长在山上，这里怎么会找得到呢？”

“谁说药草都是长在山上的？你瞧，你左脚旁的不就是药草吗？”

小神农顺着朱有德指着的方向看过去，只见左脚旁果然长着一簇植物，可是它的叶子竟然是白色的！他瞪大了眼睛，简直不敢相信——世上竟然会有长着白色叶子的植物！

“这是玉叶金花，是一种攀援灌木，也是咱们今天要寻找的药草。”朱有德介绍说。

“这也是药草？”小神农惊讶地问。

“当然。你瞧，它的叶子有对生的，也有轮生的，呈卵状长圆形或卵状披针形，顶端渐尖，基部楔形，上面有的覆有稀疏的毛，有的没有，但下面几乎都覆有密密的短柔毛。”

“那这些黄色的是它开出来的花吗？”小神农好奇地问。

“没错，聚伞花序生在顶端，苞片为线形，有较硬的毛。其花萼管为陀螺形，花叶阔椭圆形，花冠呈黄色，花冠裂片呈长圆状披针形，仔细看的话就能看到里面密生的金黄色小疣突。”

“那为什么它的叶子会是白色的呢？”小神农追问。

“因为那并不是叶子，而是呈叶状的雪白色的花的萼片。”朱有德耐心地说道，“它的花是金黄色的，像叶子一样的萼片则如玉一般呈雪白色，这也是它会被叫做玉叶金花的原因。”

“原来是这样。那它的叶子是药吗？”

朱有德点头道：“是的，玉叶金花的藤叶就是药。它具有清热疏风、解毒止咳、解表去湿的功效，外敷可治皮肤疮疥溃烂，内服可治风湿骨痛、扁桃体炎、咽喉炎等疾病。”

朱有德一边采摘，一边对小神农说道：“正好，现在是夏天，咱们可以采一些回去，一部分留作药材备用，另一部分制成凉茶，用来预防感冒、中暑。”

“没想到它还有解暑的功效，看来中草药都是不能小瞧的！”小神农吐了吐舌头，也帮着师傅一起采药。

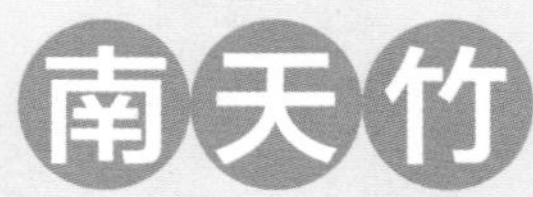

南天竹
——具有毒性的解表药

“正月迎春花样红，二月杏花喜洋洋，三月桃花笑春风，四月蔷薇靠墙头，五月石榴沉甸甸，六月荷花满池塘，七月南天竹红似火……”

小神农正读着医书，忽然听见师傅的歌声从园子里传来。他忍不住放下书本走到园子里，一瞧，师傅正一边唱着歌，一边拿着水壶给一盆小树浇着水。

“师傅，您刚才唱的歌，里面的迎春花、杏花、桃花、蔷薇花、石榴花、荷花我都认识，但这南天竹我从来都没见过，它也是竹子的一种吗？”

朱有德指了指他正浇着水的小树，说道：“这就是南天竹。它属于常绿灌木植物，最高能长到3米左右，茎常丛生，分枝较少，且摸上去十分光滑。”

“原来这就是南天竹。”小神农仔细地观察了一会儿，“师傅，您瞧，它的这根枝丫是红色的！”

“这是南天竹的幼枝，现在它是红色的，不过等到它长老之后就会变成灰色。”

“它的叶子好像跟竹叶有些相似。”小神农说。

朱有德摇摇头，说：“不一样。你仔细看，南天竹的叶子是互生的，且都集生于茎的上部，为三回羽状复叶。小叶片较薄，呈椭圆形或椭圆状披针形，顶端渐尖，背面叶脉隆起。现在它的叶子是绿色的，等到冬天来临，它的叶子就会变得像枫叶一样红彤彤的了。”

“那一定很漂亮！”小神农感叹道。

“是的，不仅是它的叶子好看，它的果实也长得十分诱人。在3～6月份，南天竹会长出直立的圆锥形花序，白色的花朵看上去虽然很小，但闻起来很香甜。等到5～11月份，它就会结出一簇簇鲜红色的果实，待果实成熟后，那一颗颗红透透的果子就会变成橙红色，虽然它们的大小也只有豆子一般大小，但看上去十分美观。”

“那么，南天竹的果实是它入药的部位吗？”

“不止是果实哦，南天竹的果实、根、茎可都是宝贵的药材。其果实性平，味苦，虽有小毒，但能止咳平喘，可治疗咳嗽、哮喘。其根、茎也有小毒，但却是清热除湿、通经活络的良药。医书中曾记载‘南天竹之根、茎可用于感冒发热、眼结膜炎、肺热咳嗽、湿热黄疸、急性胃肠炎、尿路感染、跌打损伤’。”朱有德详细说道。

“既然南天竹是有毒的，看来在入药的时候一定得多加注意呀！”小神农看着南天竹说道。

“是的，中毒者可能会出现兴奋、血压下降、肌肉痉挛、呼吸麻痹、脉搏先快后慢甚至是昏迷等症状。所以在用药的过程中，一定要谨慎再谨慎。”

“我记住了，师傅。”小神农认真而又郑重地说道。

——酷似人参的药物

师徒俩今天难得没有上山采药，而是在树林前的草丛里转悠。炎炎的夏日，太阳就像是火炉一样，很快就将小神农晒出了一身汗，他看起来仿佛是从水里捞起来的一般。

“师傅，咱们今天不上山吗？”小神农背着小竹篓，紧紧地跟在朱有德的身后。

“这草丛里也有药草呀。”朱有德回答说。

“草丛里不都是杂草吗？怎么会有药草呢？”小神农问道。

很快，朱有德就停下了脚步，弯下身，蹲在一种长着又长又尖的绿色叶子的植物前面，说：“你瞧，这不就是药草吗？”

小神农凑上前去看了看，说：“这种植物我以前见到过，我记得它的叶子就像竹叶一样！”

“它有个非常好听的名字，叫隔山香，是多年生草本植物，整个植物都是光滑没有毛的。你说它的叶子和竹叶相似，但其实是不一样的。它的叶片看上去既光滑又有色泽，呈长圆状卵形至阔三角形，有15～22厘米长，末回裂片为长圆披针形至长披针形，端部很尖，有小凸尖头，边缘及中脉干后有波状皱曲，看上去非常漂亮。”

朱有德继续说道：“不过除了叶子，它的花也开得非常迷人。它的花序为复伞形，有时会长在顶端，有时会长在侧端。通常有8枚披针形的总苞片，一朵白色的花有5片呈倒卵形的花瓣，花丝会稍稍弯曲，仿佛是害羞了一样。”

“那么，它的叶子或者花朵是它的入药部位吗？”

朱有德摇摇头，转而拿出一柄小铲子，松了松土，将整个隔山香连根全拔了出来，才说：“这才是隔山香入药的部位，也就是它的根。书上有记载，说‘隔山香之根性微温，味辛、苦，秋后挖出，去其茎叶，洗净，鲜用或晒干，可活血散瘀、行气止痛、止咳除痰，能治心绞痛、胃痛、慢性咳嗽及毒蛇咬伤等病症’。”

小神农看着被拔起的块状根茎，不禁惊讶地喊道：“这不是人参吗？不对，人参的叶子是带有锯齿边的长椭圆形，而隔山香的叶子却是尖尖长长的长圆状卵形。并且人参更为肥厚，肉质，呈黄白色的圆柱形或纺锤形；而隔山香的根较细一些，看上去皱巴巴的。”

朱有德看在眼里，很是欣慰，他说：“中医学博大精深，许多中草药的外形特征都有相似之处，如果不用心观察、辨别，就很有可能会弄混。你能找到两者之间的区别，并进行对比、辨认，能做到这一点非常不错。”

“因为我牢记师傅您说的话，学中医一定要仔细、谨慎，这样才能学有所成。”小神农笑嘻嘻地说，“师傅，天色不早了，咱们赶紧采了药回去吧！”

朱有德拈了拈胡须，说：“好。”

九头狮子草——内服外敷均有奇效

晌午时分，太阳还是热辣辣地烤着大地，尽管山上树木丛生，树阴遮天，但还是遮不住夏日的炎热。

小神农眼看着快要走到溪边了，于是就一边抹着额头上的汗水，一边问道："师傅，咱们这是要到溪边去洗澡吗？"

朱有德笑呵呵地说："你要是想洗个澡冲冲凉也是可以的，不过在那之前，我们要先找到一种药草。"

"什么药草？"小神农问。

"它叫九头狮子草，是一种草本植物，高20～50厘米，通常就喜欢生长在溪边这种阴湿的环境里。"朱有德回答。

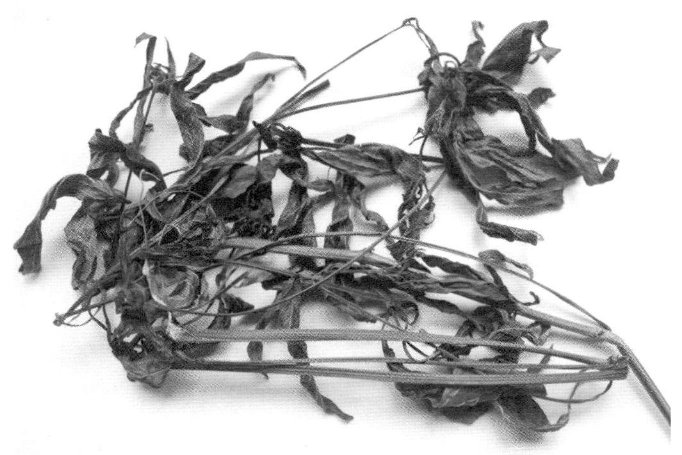

“九头狮子草？”小神农疑惑地问道，“难道说这种药草的叶子长得像狮子的头？”

朱有德不由得笑了起来：“傻孩子，当然不是的。九头狮子草的叶子是卵状矩圆形的，长5～12厘米，宽2～4厘米，尾部较尖。”

“那是因为九头狮子草的花长得像狮子的头吗？”小神农追问。

“也不是。它的花序是由2～8个聚伞花序组成的，通常长在顶端或腋生于上部叶腋。每个聚伞花序下会有两枚总苞状苞片，一大一小，呈卵形。里面至少有一朵花，花萼有5枚裂片，呈钻形，花冠为粉红色至微紫色，外有稀疏的短柔毛，内有细长伸出的花丝。”

“我还以为它真的长得像狮子的头呢。”小神农虽然有些失望，但还是追问道，“不过，师傅，我们为什么要采九头狮子草呀？”

“现在夏季，正是感冒肺热、咳嗽咳喘的多发期，而九头狮子草正是治疗这些疾病的良药。它性凉，味辛，虽有些苦，但能解表清

热、凉肝定惊，煎汤内服可治疗感冒发热、肺热咳喘、肝热目赤、咽喉肿痛、小儿惊风等病症。”

“可是咱们家里不是还有很多可以治疗感冒发热病症的药草吗？”

朱有德微微一笑，说：“这你就不知道了吧？因为将九头狮子草捣碎或研磨，用来外敷或熏洗，可治疗蛇虫咬伤、痛肿疔毒、跌打损伤。夏天蛇虫多，多备一些九头狮子草是没错的。”

小神农点点头：“我知道了，师傅，我现在就到附近去找九头狮子草！”说完，小神农就蹦蹦跳跳地去找药草了。

白苏——可治蛇咬的解表药

上山采药几乎是朱有德师徒二人每天都会做的事情，但今天朱有德却没有领着小神农上山采药，而是拿着一本医书坐在桌前。

“师傅，咱们今天不去采药吗？”小神农问。

朱有德微微一笑，说：“今天采药的事就先放一放。你跟着师傅学医也有一段时间了，师傅打算今天考考你，看看你学得怎样了。”

小神农一听，立即端正地坐好，信心十足地说：“师傅，您尽管考吧！”

朱有德抚了抚胡须，说道：“有一种一年生的草本植物，它大约不到2米高，茎为直立的钝四棱形，上面有4个槽，覆有长长的

柔毛。”

小神农想了想，问道：“这种植物的叶子是什么形状的？”

“它的叶子是对生的，地柄长3～5厘米，背腹扁平，密端为短尖或突尖，基部为圆形或阔楔形。”

“叶子边缘有锯齿吗？”小神农追问。

“有，边缘在基部以上有粗锯齿，且叶子的两面都是绿色的，也有一些紫色的，上面覆有稀疏的柔毛。”

“它会开花吗？”

“会开花，它的花期在8～11月份，花序为轮伞状，覆有长长的柔毛。其苞片为宽卵圆形或近圆形，外表有红褐色腺点。花梗覆有密密的柔毛，花冠通常为白色，冠筒较短，花盘前方呈指状膨大。”朱有德回答。

小神农眼睛一转，说："它是不是会在8～10月份结果，并且结出的果实呈黄褐色的圆形，表面有网纹，俗称苏子？"

朱有德微微有些惊讶，没想到这个聪明的徒弟这么快就猜到了答案，他点点头说："是的。"

小神农高兴地说："我知道了，师傅您说的是白苏，又叫荏苒，以其叶、嫩枝、主茎和果实入药。"

"你既然说出了它的名字，那么你能说出它的功效吗？"朱有德故意问道。

"当然能！"小神农说，"《全国中草药汇编》中记载，'白苏味辛，性温，可散寒解表、理气宽中、疏风宣肺、理气消食，适用于风寒感冒、头痛咳嗽、胸腹胀满、食积不化、吐泻冷痢、肢气肿毒等病症'。"

"除此之外，还有吗？"朱有德并不放松，继续追问。

“我还在其他医书中看到过，白苏可‘调气、润心肺、长肌肤、益颜色、消宿食、止上气咳嗽、去狐臭、敷蛇咬’。夏天正是蛇虫多的季节，被蛇虫咬伤的病患肯定会增多，师傅，咱们可以多备一些白苏。”小神农笑眯眯地说。

“好，好，好！”朱有德拈着胡须笑了起来，心里不禁想，这个徒弟可收对了呀！

柽柳
——长“鸡毛掸子”的树

一天，朱有德正在屋子里煎药，忽然听见小神农急促的脚步声，他刚转过头，就看见小神农气喘吁吁地跑过来，急急忙忙地说：“师傅！咱们园子里有一棵长得好奇怪的树！”

“奇怪的树？”朱有德疑惑地问道。

小神农连连点头：“是的！那棵树的树干长得弯弯曲曲的，树上有许许多多数不清的枝条，上面裹着像海草一样的绿色叶子，叶子上面满是一串串的、毛茸茸的粉色东西！长得实在是太奇怪了！”

朱有德想了想，随即笑了起来：“傻孩子，那可不是什么奇怪的树，那是柽柳。它既可以是乔木，也可以是灌木。”说完，朱有德便

带着小神农走到园子里。

那棵柽柳大约有6米高，暗褐红色的老枝直立，红紫色的幼枝富有光泽，稠密而细弱，开展而下垂，而悬垂的嫩枝则更为纤细繁密。鲜绿色的叶子布满枝丫，长在木质化生长枝上生出的绿色营养枝上，有的呈长圆状，有的呈披针形或长卵形，最长的只有2毫米不到。而上部绿色营养枝上的叶子则呈钻形或卵状披针形，最长的只有3毫米不到。

小神农嘀咕道："它的花远远地看上去毛茸茸的，就像是鸡毛掸子一样。"

朱有德听了不禁乐了："你这么一说，确实挺像的。也算是咱们运气好，正好碰上柽柳开花了。它每年春季及夏、秋季开花，开2~3次，但春季和夏季、秋季所开出来的花都各有不同。春季开的花，总状花序侧生在木质化的小枝上，花大而数量少，较为稀疏。花

瓣有5枚，呈卵状椭圆形或椭圆状倒卵形，也有小部分是倒卵形的。雄蕊也有5个，比花瓣稍微长一些，花丝就长在花盘裂片中间，从下方近边缘处探出来。”

“那跟夏季、秋季开的花有什么不同呢？”小神农追问。

“夏季、秋季开的花，花序比春天的细一些，生于当年生幼枝顶端，形成顶生大圆锥花序，花序朝下弯，花朵也比春天开的花小一些，且生得较密。花萼为三角状卵形，花瓣依然是粉红色，但直而略外斜，远比花萼要长，雄蕊更是比花瓣长了2倍。”

小神农一边听师傅讲解，一边细心观察：“我知道师傅您的园子里种的，哪怕是一株不起眼的小草都是中药材，那么这棵柽柳也是中药吗？”

朱有德点点头，说：“是的，它细枝嫩叶正是入药的部位，其性平，味甘、辛，归肺、胃、心经。《本草汇言》中有记载：‘柽柳，

凉血分，发痧瘄，解痧毒之药也。古云痧瘄，即今之瘄疹也，宜苦凉轻散之剂，则出而解。此药轻清升散，开发瘄毒，如瘄毒内闭不出，或出之甚多，难于解退，或解退后热发不止，或喘嗽不消，肌肉羸瘦，致成瘄疳、瘄劳者多有之，以此煎汤代茶，日饮，瘄疹诸疾，渐自消减矣。’”

小神农思索了片刻，总结道：“所以说柽柳的枝叶具有疏风解表、透疹解毒的功效，内服能治疗风热感冒、风湿痹痛，外敷可治疗麻疹初起、皮肤瘙痒。”

“没错。”朱有德回答。

小神农连忙将师傅说的都记录下来，以免自己日后忘记，毕竟好记性不如烂笔头。他笑了笑，看着眼前的柽柳，乐呵呵地说：“嘿嘿，今天真开心，又学到了一种新的药材啦！”

——能治鼻血的解表药

一个阳光明媚的下午，难得不用出门看诊的朱有德正悠然自得地坐在自家园子的门前，享受着短暂的休息时间。然而没一会儿他就被小神农叫醒了，小神农捧着一本发黄的医书，认真地问道：“师傅，什么是臭草呀？是指味道很臭很臭的草吗？这本书上只提到了它的名字，却没有记录它的外形特征和功效作用。”

朱有德坐了起来，轻轻地摸了摸小神农的头。这个徒弟一向勤学好问，虽然休息时间被打扰了，但是他不但没有生气，反而更加欣慰。

“臭草是一味中药，又叫芸香，因其带有特殊的浓烈气味，所以

被人们叫做臭草。”

“那这个臭草长什么样呢？”小神农继续追问道。

“它是茎基部木质的多年生草本植物，约能长到1米高。全株无毛，有腺点。叶为互生，呈灰绿或带蓝绿色，复叶为二至三回羽状，长6～12厘米；末回小羽裂片呈狭长圆形，长5～30毫米，宽2～5毫米。”朱有德回答。

小神农认真地听着，朱有德继续往下讲："臭草会在3～6月份开花，顶生或腋生聚伞花序，花是金黄色的，花茎约2厘米，萼片和花瓣均有4片，雄蕊有8枚。当臭草的花刚刚开放，与花瓣对生的4枚会贴附在花瓣上，而与萼片对生的另外4枚则会斜展外露，并且比与花瓣对生的4枚长一些。"

"如果等到花完全盛开之后呢？"小神农追问。

"那时它们就会全部并列在一起，挺直，并且长度一致，只有花柱会短一些。等到7～9月份的时候，臭草就会结果，果实长6～10毫米，由顶端开裂至中部，果皮上有凸起的油点。"朱有德回答。

"果实这么小，种子肯定也非常小。"小神农肯定地说道。

"没错，臭草的种子呈褐黑色，肾形，个头小，数量多，仅1.5毫米左右长。"

小神农继续追问："师傅您能说说臭草的功效吗？"

“当然能。臭草性寒，味苦、辛，医书中有记载，它可‘祛风解表、凉血散瘀、活血解毒、消肿利尿，内服可治疗感冒发热、风湿骨痛、小儿惊风、小便不利、泄泻疝气、妇女经闭，外敷可治疗跌打损伤、热毒疮疡、湿疹瘙痒’。”说完，朱有德看着小神农，笑着说，“你前些天不是流鼻血吗？《本草纲目拾遗》就有提到，将臭草叶捣烂，塞入鼻孔即可止血凉血。不过你一定要记住，孕妇忌用臭草。”

小神农捧着书，小脸上浮起满满的敬佩之意，认真地点头说：“我会牢牢记住的。”

金鸡纳——能治疟疾、能催产的药物

夜幕降临，夜空中的星星就像一颗又一颗宝石，闪烁着璀璨耀眼的光芒，照进了一户人家的园子里。园子里有一张竹床，上面躺着一老一少，正是朱有德师徒俩。

朱有德摇着扇子，小神农睡在他的身旁，小声央求道："师傅，我睡不着，您给我讲一个故事吧？"

朱有德看着小神农充满恳求的眼神，点了点头："好吧，那师傅就给你讲一个睡前故事。很久以前，一个炎热的夏天里，有一座偏远的村庄忽然爆发了疟疾。村里的人们因为染上了这种疾病，都开始出现发冷、高烧、呓语，甚至神志不清等症状，随时都有生命危险。村里的大夫们想尽了办法，还是找不到治病的方法。"

小神农不由得感叹道："疟疾真是可怕啊！"

"后来，村里一个住在山上的猎户感染了疟疾，他全身发热，痛苦地爬到林子深处的一口小池塘边，口渴难耐的他喝了许多池塘里的水，等他喝完才发现，池塘里的水竟然是苦的！没过一会儿，他的病情竟然也减轻了。"

"这池塘里的水竟然这么神奇？"小神农不禁追问。

朱有德继续说："这时，猎户发现池塘边上长着一种高大的乔木，它有20多米高，树皮呈赤褐色，远看叶子又红又绿的，树上还开着白色的小花。等他走近些看，就发现树上的叶子是呈长圆状披针形、椭圆状长圆形或披针形的，老叶是绿色的，嫩叶是红色的。树上的花序覆有淡黄色的柔毛，长20多厘米、宽18厘米左右；花萼裂片呈卵状三角形；花冠有白色的，也有浅黄白色的，闻起来有着淡淡的

芳香。”

“难道这棵树就是池塘之水的秘密所在？”小神农眨着亮晶晶的双眼。

朱有德点点头：“你猜对了。没错，池塘的水之所以是苦的，原因就在于这棵树的树皮浸出液。猎户赶紧将树皮剥下来，拿给村里的人们煎汤服用，没过多久，村里的人们果然都痊愈了。”

小神农啧啧称奇，忍不住问道：“师傅，您知道那棵树是什么树吗？”

“那棵树名叫金鸡纳树，又叫金鸡纳，是治疗疟疾的珍贵药草。据《全国中草药汇编》中记载，金鸡纳的根皮具有抗疟退热、解酲醒脾、解表清风的功效，适用于疟疾、高热等病症。但是金鸡纳性寒，味苦，加上它有催产的作用，所以不能给孕妇使用。”

小神农点点头。

“好啦，故事讲完了，你该睡觉了，咱们明天一大早还要山上采药呢。”朱有德笑眯眯地说。

“好的，师傅。”小神农掖好被子，心满意足地睡着了。

消食药

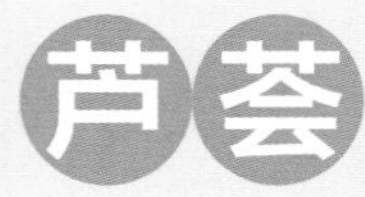

芦荟——药用与美容的完美结合

今天天气不好，小神农抬头向远处望去，只见黑压压一片乌云密布在天空中，再过一会儿必将是倾盆大雨。一般在这种情况下，朱有德是不主张上山采药的，因为雨天路比较滑，容易出事故。

小神农年轻气盛，他的想法跟师傅完全不同。在他眼中，只要有任务就一定要去完成，别的事情都不在考虑范围，所以，他很坚定地跟师傅说一定要上山采药。

朱有德为了说服小神农，开始讲起了大道理，小神农非常专注地听着。当师傅讲完后，他就立刻分清楚利害关系了，急忙用力地点头回应。

其实，小神农非常喜欢下雨天，他闲来无事，就搬着凳子坐在屋门口专心看雨。他看到师傅穿着雨衣，匆忙地跑到院子里，将一盆芦荟搬回屋中。芦荟刚好就放在小神农眼前，他仔细观察着。小神农对芦荟虽然并不陌生，但是也没有近距离观察过。小神农边看边用手测量长度，看完之后，他自言自语地说："原来芦荟也有短茎，并且叶子四季常绿，叶长15～30厘米，厚度约1.5厘米，叶子四周有小刺，整体以肥厚和多汁为特色。总状花序可开出几十朵花，花葶高60～90厘米。"

朱有德刚好从小神农身边经过，听到他自言自语便停住脚步。小神农刚好抬头看到师傅，张口就问："师傅，您说我总结得准确吗？"

朱有德点头称赞，回答说："总结得还算可以，不过我需要给你补充一些知识。芦荟属于草本植物，具体划分应归类于独尾草科，它的花季一般在夏秋季节，花色为黄色，花序较高。另外，芦荟的抗旱能力非常强，却不耐涝。《一统志》中关于芦荟的形状表述如下：'爪哇、三佛齐诸国所出者，乃草属，状如鲎尾，采之以玉器捣成膏。'"

小神农听到师傅总结得这么齐全，自己也不甘落后，抢先说起芦荟的作用："芦荟性寒，味苦，归肝、胃、大肠经，具有增进食欲、健胃泻下的作用。用其入药，更能清肝泻火，杀虫疗疳。用于惊痫抽搐、热结便秘、小儿疳积、湿疹疮癣、痔瘘等症都具有明显的疗效。"

朱有德此刻深深体会到小神农勤奋学习的劲头，于是笑着离开了，没有再多说些什么。

火麻仁 ——润肠通便的好帮手

秋季是朱有德与小神农最忙碌的季节，因为这个季节成熟的药材最多。不过，师徒俩从来不会因为需要采集的药材繁多而乱了阵脚，他们每天都有条不紊地采集着药材。

火麻仁今年比较畅销，所以今天朱有德和小神农的任务就是采集火麻仁。小神农昨天晚上就知道了这个任务，鉴于自己对火麻仁并不是十分了解，所以他连夜翻看了很多医书，把火麻仁的形状和疗效都牢牢记在心里。今天一早，他才自信满满地跟朱有德上山去了。

师徒二人沿着崎岖的山路一直往前走。朱有德和小神农像是心有灵犀一样，同时驻足在向阳的、土质疏松的空地上。

朱有德凭借经验猜到这里会有火麻仁，而小神农则是昨晚在医书上看到的，书中说火麻仁适宜生长在湿润而又温暖的气候中，虽然对土壤没有什么特殊的要求，但是最好选择深厚的砂质土层，因为这样可以确保土壤具有较好的排水性，养分不容易流失。

朱有德和小神农相视一笑，各自开始找寻成熟的火麻仁。火麻仁为大麻的种子。大麻又名线麻子、火麻，属桑科植物，一般成熟在秋季。采摘成熟的火麻子，晒干后，除去杂质即可得到火麻仁。

小神农找了很久才找到一棵大麻。他仔细观察后发现，大麻的叶子非常有特色，外形跟手掌一模一样，交错相生，叶子表面是深绿色，背面则是灰白色。茎干十分笔直。虽然有的已经结出了果实，可有些晚生的还开着小花。花序总体呈圆锥状，有顶生，也有腋生；花朵颜色黄绿，仔细观察可以看到，每朵花的最外围几乎都有一个卵形的苞片。

小神农确定，这就是可以结出火麻仁的大麻。他非常激动，准备跟师傅分享这个好消息，但他抬头一看，师傅已经开始采摘大麻种子了。

小神农也马上动手采摘，不过，他还顺便回忆起了书中的知识："火麻仁表面光滑，颜色以灰绿色和灰黄色为主，外形为椭圆，一端微尖，另一端有凹点，长4～5毫米，直径3～4毫米。外果皮较薄，内果皮偏厚。气味微淡，以颜色偏黄、颗粒饱满者为上品。"

不知不觉已经到了中午，朱有德和小神农坐在树下开始吃午饭。

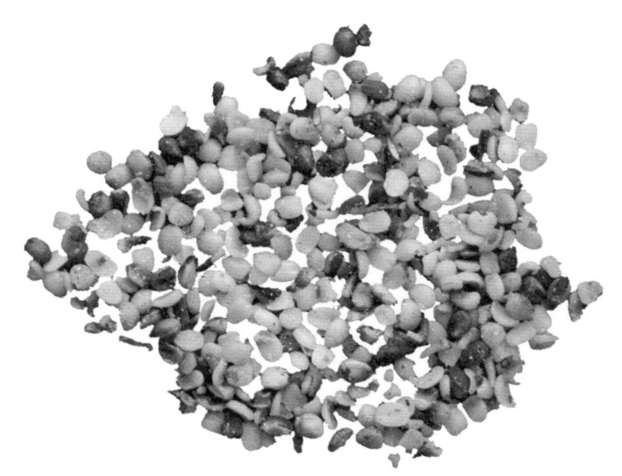

小神农好奇为什么最近火麻仁的需求量如此大，朱有德解释说："火麻仁性平，味甘，归脾、胃、大肠经，对大肠、胃、脾都有不同的疗效，既可润燥滑肠，还能通便，是上好的调理脾胃药材，所以一直都很受市场欢迎。"

小神农突然接话说："师傅，听您这样一说我想起来了，我在看《本草纲目》的时候，书中提到火麻仁利女人经脉，调大肠下痢；涂诸疮癞，杀虫；取汁煮粥食，止呕逆。"

"说得非常对，看来你平时没少看书。"朱有德对小神农的勤学好问给予了肯定。小神农看到师傅赞许的目光，高兴地笑了。

——消食下气的必需品

小神农每天跟师傅一起上山采药，经常看到师傅试吃一些草药，有时候还吃得津津有味。虽然自己也很想像师傅一样亲尝药味，但是有一些药的味道让他实在吃不消。

朱有德很会循循善诱，他告诉小神农：“尝试咀嚼一些草药可以让你增加辨识本领，而且还能领悟药味的不同。因为并不是所有的草药都苦涩难以下咽，也有一些草药跟水果的口感十分相像，比如我们今天要采摘的郁李。”

小神农听完，立刻追问：“郁李是什么药呢？”

“郁李属于蔷薇科。树皮为灰褐色，带有不规则条纹。叶子为卵

形。郁李花多以白色或粉红色为主。果实为赤红色，一般成熟在夏、秋季节。”说着，朱有德把小神农带到一片长满郁李的空地上，小神农看到绿叶红果实搭配得非常好看，就产生了好奇心，于是大声嚷嚷着自己准备试吃一个。

小神农吃第一口的时候还有些犹豫，站在旁边的朱有德一直鼓励他。听了朱有德的劝导，小神农终于大胆尝试了一颗。他觉得郁李的味道的确非常好，吃到嘴里酸酸甜甜的。而且，郁李的外形跟杏差不多，这更加增强了小神农的试吃欲望。

可就在他大快朵颐的时候，牙齿不小心被郁李核硌了一下，他一下把郁李核吐得远远的，朱有德却急忙跑过去捡了起来，那神情仿佛在捡一件宝贝。

朱有德猜到小神农必定会嘲笑自己，于是就解释说：“郁李里边最有药用价值的，应当是郁李的种仁，也就是我们常用的郁李仁了。

《日华子本草》记载郁李仁'消宿食，下气'。除此之外，郁李仁性平，味辛、苦、甘，归脾、大肠、小肠经，具有利水消肿、润燥滑肠、健脾养胃的功效，用来治疗水肿、腹胀便秘、脚气、津枯肠燥、小便不利等症都可以。"

"师傅，你在开玩笑吧！这个核这么硬，我的牙到现在还在疼，怎么可能有药用价值？"小神农用怀疑的语气问道。

"你真是聪明反被聪明误，你吃过杏仁吗？杏仁是不是也被坚硬的外壳所包裹？如果你想要吃杏仁，必定会把外壳砸开，现在你想明白了没有？"朱有德点化小神农。

小神农恍然大悟。师徒二人继续干活，采集了满满两筐郁李才向山下走去。

甘遂——泻下通便的良药

小神农每天最开心的时刻就是跟师傅一起上山采药，因为在这个过程中，他可以寻到许多宝贝。朱有德和小神农是截然不同的两种人，朱有德做事一心一意，而小神农却总是一心多用。

“师傅，您看我捡到了一片很奇特的树叶，这会不会是一种药材？”小神农兴奋地说。朱有德还以为小神农真捡到宝贝了，二话没说立马走过来，但是仔细一看，就是一片普通的树叶，于是扭头就走了。

“师傅，师傅，您快过来看一下，我敢保证这个一定是珍贵药材。”小神农很快又兴奋地叫起来。朱有德听到小神农坚定的语气，

于是就又走过来看看，结果令朱有德再一次失望。

小神农灰心丧气地低头继续寻找药材，他突然发现眼前有几片干燥的块根，这次小神农仔细观察后，断定这个应该是甘遂。因为医书上记载：甘遂属于大戟科多年生草木，花期多集中在春季，夏季为成熟季节。根部外表为棕褐色，形状大多细长且弯曲。茎部有分枝，靠近根部的多为紫红色，上半部分多为淡绿色。全株富含白色乳汁。叶子交错互生，叶片多为针状。甘遂的上等品一般多为白色或黄白色。

小神农主动拿着甘遂走到师傅跟前，将甘遂递上去，说：“师傅，这次肯定不会让您失望了。”

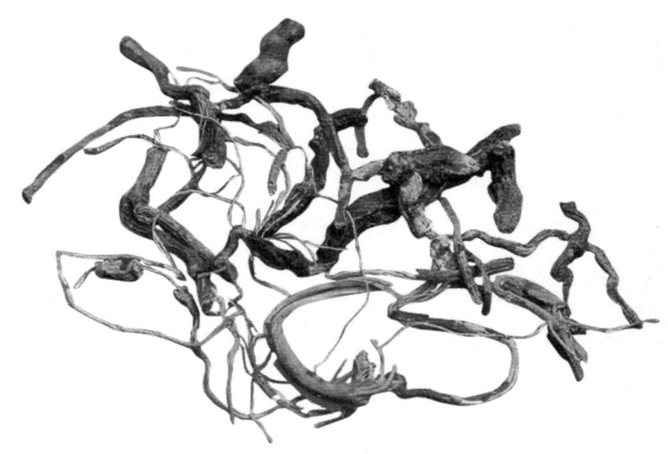

朱有德很不情愿地看了一下，果然，这次他没有失望，这种药材的确是甘遂。他点着头说：“不错，的确是甘遂，《日华子本草》中记载‘甘遂京西者上，汴、沧、吴者次。形似和皮甘草。节节切之’，所以，这次你算找对了。”

小神农见师傅高兴了，便马上想要炫耀一下自己的学问，于是说：“师傅，我还知道甘遂性寒，味苦，归脾、肺、肾、膀胱、大肠、小肠经，具有泻水逐饮、破积通便的作用，能够刺激肠管，增加肠胃蠕动。所以，用它治疗腹水、留饮结胸、大小便不通、水肿、喘咳等症最好了。”

朱有德夸奖小神农说：“说得不错，关于甘遂的作用《本经》中这样记载：‘大腹癥瘕，腹满，面目浮肿，留饮宿食，破症坚积聚，利水谷道。’”

小神农听到师傅讲解得如此细致，下定决心回去一定要发奋读书。

商陆——预防消化道出血的良药

今天一大早，小神农用几句“甜言蜜语”，又把正在吃饭的朱有德逗笑了。朱有德笑着说：“别废话了，赶紧吃饭，吃完饭咱们还要早早上山采药呢！”

提起上山采药，小神农比任何人都积极，于是他迅速洗漱好，坐在餐桌旁吃起了早饭，他边吃早饭，边寻思着上山采药的事情，忍不住又开口问师傅：“我们今天采集什么药材，能不能提前透露一下？”

“我们今天要采集的是商陆。”朱有德回答。

“商陆，是不是我们要去商人的陆地上采集药材？这个听起来好

刺激，好像您就是老大，我是您的助手，您带着我去抢夺金银珠宝一样。”小神农明明知道商陆是一种药材，但是依旧顽皮地说。

朱有德在一旁大笑小神农才疏学浅，笑过之后耐心地解释说：“商陆属于草本植物，根部硕大，呈圆锥状，干燥的根可入药。叶子交互相生，大多都为椭圆形。茎部多分枝，大多直立，颜色多为紫红色和绿色。花季多集中在夏、秋季节，花色为白色。果实为扁球形，颜色为紫黑色，果期集中在秋季。种子为黑色椭圆形。商陆适宜生长在温暖湿润的环境中，因此主要分布在南方红壤低丘陵地区。”

小神农猜到师傅接下来该讲商陆的作用了，于是在一旁急忙抢着说：“商陆的知识在《别录》中都有记载：‘疗胸中邪气，水肿，痿痹，腹满洪直，疏五脏，散水气。’而且我还知道，商陆性味苦寒，归脾、膀胱经，善通二便，更能泻水散结，所以治疗恶疮、痈肿、脚气、胀满等症都不错。”

听到小神农将商陆的作用讲解得一字不差，正在吃饭的朱有德惊呆了，但是与此同时，他也发现自己被小神农欺骗了，小神农装作什么都不会，其实他之前已经在书上了解过商陆的所有知识了。

“师傅，我只是想逗你开心，顺便体验一下当考官的感觉，我可没有其他意思，您可不要责怪我呀！”小神农顽皮地笑了。

牵牛子——泻水利尿防便秘

自从夏季到来之后，朱有德和小神农对上山采药的时间也做了一些调整，为了预防中暑，他们采取早出晚归的策略。这让他们采摘一上午的药材量可以跟冬季一天的采摘量相比，而且忙碌起来时间总是过得飞快，转眼间已经到了正午。

师徒二人坐在树阴下歇息。小神农虽然坐下歇息，但是他的眼睛还在不停地搜寻身边的植物。他发现约100米外的地方，开有白色、粉色、紫色的小花，好奇心驱使他走上前去观察，走近后他才发现原来这些漂亮的小花是牵牛花。于是，他采摘几朵带给师傅看。

“师傅，您看这牵牛花多漂亮，我之前只见过粉色的，今天才知道还有白色和紫色的。”小神农走到师傅身旁，轻声说。

朱有德点头说：“医书上记载，牵牛子本来就有3种花色。”

“师傅，您等会。您刚刚说什么？牵牛子？牵牛子是什么？”

“牵牛花就是牵牛子，牵牛子是学名，牵牛花是俗名。你对这种药材这么陌生，那你是怎么辨认它的？”朱有德无奈地说。

小神农笑笑说：“原来这样啊！之前我就认识牵牛花，后来在看医书的时候，我就重点掌握了牵牛花的作用。至于牵牛花的形态特征我只是迅速浏览了一遍，不过我还是能够记起来一些。牵牛花属于被子植物管状花目，花期多持续在夏季至秋季，花期较长，但是每天都是朝开晚谢。花色以淡紫色和粉红色为主。果实为球形，大多数为黑色或黄白色。”

“回答得很好。你刚刚说你重点看的是牵牛花的作用，那么我来考考你，你现在还能回忆起牵牛花具有哪些作用吗？”朱有德欣慰地说。

“我记得在《新疆中草药手册》中有记载，说牵牛花具有‘泻下，利尿，杀虫’的作用，可以治‘便秘，消化不良，肾炎水肿，小儿咽喉炎等病症’。”小神农不紧不慢地说。

朱有德对小神农的回答非常满意，于是感慨地说：“确实，牵牛子性味苦寒，泻水通便、消痰涤饮、杀虫攻积功效极强，不仅可治你刚刚说的那些病症，对虫积腹痛、气逆、蛔虫、喘咳、二便不通都可起治疗作用。”

朱有德说完，便又起身继续采集药材去了，因为下午还有一大堆采摘任务等着他们呢。

——药到病除助消化

早饭的时候，朱有德看到小神农眉头紧锁，就猜到他肯定是有什么烦心事。等到出了门上山时，朱有德就关切地询问：“徒弟，你是不是有什么烦心事，今天早上吃饭的时候，我看你满脸的不高兴。”

小神农面对师傅的询问，直言不讳地说：“我昨天也不知道吃了什么，今天早上起来就便秘了。”

朱有德听后恍然大悟，原来是便秘让小神农苦恼。他笑着说：“这个不必担心，我们今天上山采药，山上可以解决便秘的药材可多了，比如千金子。”

上山后，受到师傅的启发，小神农开始专心寻找起千金子来。忽

然，他听到朱有德在一旁大声叫自己，于是迅速跑过去。原来朱有德先采集到了能够缓解便秘的千金子，他说：“这就是千金子，治疗你的便秘绝对好用。”

小神农拿着千金子反复观察，然后问朱有德：“师傅，您确定这个就是千金子吗？这跟我在书上看的不一样，倒是特别像没有成熟的无花果。”

朱有德看出徒弟是在质疑自己，于是解释说：“我采药这么多年，如果连千金子都认不出来，那还怎么做你师傅？我现在给你的这种药材叫续随子。千金子为续随子的种子，属于大戟科植物。一般情况下，是需要先割取植株，打下种子，然后除去杂质和泥沙、清洗干净、晒干，用的时候研碎即可。你平时见到的，包括书中记

载的都是这样炮制过后的千金子，当然与现在不一样了。你如果还不相信我，你可以观察一下续随子的植物形态，看看跟书中记载的是否一致。”

“原来是这样呀！”小神农一边说着，一边又低头仔细观察，“书上记载千金子为草本被子植物，夏、秋两季为果实成熟时间，根茎直立，全株为白色。种子为圆形，表面是灰棕色。”

小神农仔细观察后，确定这种药材就是千金子。朱有德提醒道：“别只顾看植物外形特征，要连结的种子也一起看看，它与炮制后的千金子也是不一样的。”

经过师傅提醒，小神农这才想起来，连忙寻了种子来看。只见种子为椭圆形，颜色灰棕，表面具有不规则的网纹，网孔下陷，呈灰黑色，形成细斑点。种子的一侧有纵沟种脊，顶端则为凸起的合点，下端带种脐。种皮很薄，一捏就会碎开，里面的种仁白色，富有油性。

“师傅，这千金子只能治疗便秘吗？还有什么其他作用吗？”小神农看完了，马上问道。

“当然有，千金子性温，味辛，归肝、肾、大肠经，不但逐水消肿，而且破血消癥。所以，除了治疗便秘，水肿、血瘀经闭、小便不通、积滞胀满、顽癣、疣赘等症都可治疗。”朱有德详细地给小神农讲解。

“师傅，我们快下山吧，我要回去调一点千金子，解决一下个人问题。”小神农着急地说着，把朱有德逗得哈哈大笑。

山楂——酸酸甜甜好胃口

小神农从小就特别喜欢吃山楂，但是他吃的都是加工好的山楂，从来没有亲眼见过长在树上的山楂。

昨天晚上他听到师傅布置今天上山采摘的任务，山楂被列在其中，高兴得一晚上都没有睡好。天刚亮，小神农就匆忙起来。在朱有德眼中山楂就是一种药材，但是对小神农而言却不止如此。

看到小神农比往常更加积极，朱有德提醒小神农说：“不要高兴得太早，你要知道希望越大，失望就越大。”

小神农却信心满满，对朱有德的善意提醒全然听不进去。他迫不及待地问：“师傅，山楂一般都生长在什么地方？”

“山楂树适应能力强，所以一般多生长于山谷或山地灌木丛中。”朱有德回答说。

“那山楂树长什么样呢？师傅快给我讲讲，一会儿我好辨认它呀。”小神农急切地说。

“山楂树属于蔷薇科落叶灌木，枝叶茂盛，树身有小刺。花期在夏季，果期在秋季，花色为白色，后期则由白色变粉色，花谢后就会结出球形的果实来，也就是山楂。”朱有德回答。

小神农跟在朱有德身后，一边仔细听，一边四处张望。很快朱有德就找到了一大片山楂树，指给小神农看。小神农怔了一下，然后走上前去，感慨道：“山楂树就长这样？我终于看到山楂树了。”

朱有德采摘到一些成熟的山楂递给小神农，小神农顺手擦了擦就塞进嘴里。殊不知成熟的山楂里边还有山楂子，小神农刚咀嚼两下就吐了出来，因为山楂子硌着他的牙了，并且山楂的酸味让他满口牙都倒了。

朱有德在一旁乐呵呵地问道：“山楂好吃吗？”

小神农顾不上说话，立马拿出水壶，猛喝了几口水。缓了几分钟之后才说：“我看山楂颜色大小跟圣女果很像，只不过表面粗糙且多了一些淡白色小斑点，就天真地以为它的酸味应该跟圣女果差不多，但是事实告诉我，山楂的酸味要远远超过圣女果。”

“山楂性温味酸，不过正是这酸味，才决定了它健脾开胃、消食化滞、活血化痰的作用。因此，山楂果入药，可以治疗肉积痰饮、泻痢肠风、痞满吞酸、腰痛疝气、小儿乳食停滞等症。”朱有德解释说。

小神农又好奇地问道：“师傅，是不是所有酸性的药材或食物都具有健胃消食的作用呢？”

“可以这样认为，不过胃酸的人群不建议食用这些，不然会加重胃酸症状。”朱有德严肃地说。

小神农听完师傅的讲解，又采摘了足够的山楂。才与师傅转移阵地，去完成下一个任务了。

莱菔子——顺气开郁的利药

今天天气不好，朱有德建议在家休息一天。可是，习惯了每天上山采药的他们，竟然不知道这一整天除了采药还能干些什么。

朱有德和小神农坐在一起开始聊起了药材，朱有德将最近采集的药材纷纷记录下来，并且把这些药材进行合理收藏。整整一上午基本上就干了这些，中午时分，朱有德特意对妻子说："今天我来下厨，我要给小神农做一道萝卜炖羊肉，让他尝尝我的手艺。"

听到师傅要做拿手的荤菜，小神农内心非常激动，马上自告奋勇帮忙洗菜。

在洗萝卜时，小神农大脑中突然闪现出一个念头，于是就开口问

道："师傅，萝卜有种子吗？长什么样呢？"

朱有德正在专心做饭，懒得回答他，就说："你动动大脑，想一想不就知道了。"

小神农站在门口，皱着眉头冥思苦想，朱有德实在看不下去，于是就提醒小神农说："这个医书上应该有，你去看看《医学衷中参西录》吧。"

朱有德话音刚落，小神农撒腿就向书房跑去。但是，拿到书的那一刻他突然想起一个问题："萝卜如果有种子，那它的种子名称是什么呢？难道是萝卜子？"

朱有德似乎知道小神农会遇到什么问题，于是把羊肉和萝卜炖上之后，就径直走向书房，看着小神农正在发呆，朱有德故意大声说："萝卜的种子叫莱菔子，是可以入药的。"

小神农马上打开目录，一眼就看到了，只见书上写到："莱菔子属一年生草本植物，花色以粉红色、紫色、白色为主，分为雄花和雌花两种。根为圆形、肉质。茎多分枝。”

看完莱菔子的形态特征之后，小神农着急看莱菔子的功能，朱有德这时却把医书拿走了，因为他想要考验一下小神农是否能够猜出莱菔子的功效和作用。

小神农不知从何答起，就借用萝卜的功效解释说：“我猜莱菔子也有润肺止咳的疗效。”

萝卜炖羊肉马上就要出锅了，朱有德顾不上跟小神农兜圈子，于是就大声说道：“莱菔子，性平，味辛、甘，可消食除胀、降气化痰，无论生吃或炒吃，皆能顺气开郁，消胀除满，此乃化气之品，非破气之品。盖凡理气之药，单服久服，未有不伤气者，而莱菔子炒熟为末，每饭后移时服钱许，借以消食顺气，转不伤气，因其能多进饮

食，气分自得其养也。若用以除满开郁，而以参、芪、术诸药佐之，虽多服久服，亦何至伤气分乎。”

“什么伤气不伤气，我怎么没听出来作用呢？到底可以治什么病呀？”小神农满脸迷茫地问。

“简而言之，就是说莱菔子能够消食除胀、降气化痰，对饮食停滞、脘腹胀痛、小便秘结、积滞泻痢、痰壅喘咳等症都可以治疗。”朱有德言简意赅地说完，便去照看自己的萝卜炖羊肉了。

蓖麻子——泻下·导滞特效药

朱有德不仅药材知识丰富，而且还是个特别细心的人，上山要用的采药工具向来都是由他亲自整理。但是，由于今天朱有德临时有事，就把这些工作交给小神农去完成。

师徒二人今天的任务是采集蓖麻子，可小神农并没见过蓖麻子，所以在准备工具的时候，他只是带了平常采集常用的工具。朱有德忙完其他事情，回来背着竹筐就和小神农向山上走去，他并没有仔细查看小神农准备的工具。

上山路上，小神农询问道："师傅，蓖麻子是不是跟芝麻差不多？"

“那可差多了，芝麻是胡麻的种子，而蓖麻子则是大戟科植物蓖麻的种子。两者的外形特征也差远了，蓖麻的植株高2～3米。叶子呈掌状圆形，单叶相互交错而生，且属于长柄叶子。叶面有白色茸毛覆盖。花期一般在春季，果期在夏、秋季节。种子为光滑的椭圆形，以灰黑色为主，以饱满为佳。”朱有德耐心地解释说。

小神农意犹未尽地听着，朱有德看到徒弟这种表情，就又接着说：“我们所熟知的芝麻容易采摘，但是蓖麻子却不同。因为蓖麻子浑身是刺，外形跟刺猬非常相像。所以，每次采摘都必须要带上手

套。对了，我让你准备工具，你带手套了没？”

听到师傅这样问，小神农急忙摘下身上的背筐，仔细检查所带的工具，他发现背筐里并没有手套，师徒二人已经走到半山腰了，再回去拿是不可能了。

小神农满脸愧疚地低下了头，朱有德安慰他说：“不戴手套也不是不能采摘，咱们可以用自己的上衣裹着手去采摘。不过，以后再让你准备工具，你可要一一向我汇报，这样才可以避免错漏。”

小神农诚恳地点了点头。朱有德接着说：“想知道蓖麻子的作用吗？”

“当然想！”小神农一脸求知若渴的样子。

“蓖麻子具有消肿拔毒，泻下导滞，通络利窍的作用。《日华子本草》中记载‘治水胀腹满，细研水服；疮痍疥癞，亦可研敷’。”朱有德解释说。

小神农把师傅讲解的全都记心里了，诚恳地说：“今天是我不好，希望师傅能够原谅我。”

朱有德拍拍小神农的肩膀，两人继续向前赶路了。

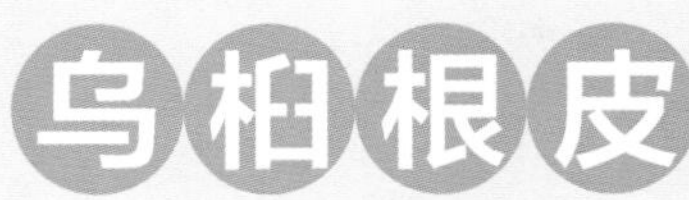

——神奇的利尿泻下树根

今天的天气要比往常闷热一些，早晨起来还凉风习习，但是到了中午就不得不改穿短袖了。朱有德和小神农看到一片树阴，便径直走过去，各自在树下找了一块舒服的地方坐下来，开始用自带的干粮和水补充体力。

朱有德做任何事情都很专注，吃饭当然也不例外。但是，小神农却总是三心二意，他一边吃饭，一边抬头向四处张望，忽然不自觉地大叫一声。朱有德听到他的叫声，也抬头向上看了一下，并不觉得有什么奇怪的，就问小神农："你为什么尖叫？"

"师傅，您没看到这颗树上长的全是毛毛虫吗？"小神农神情依

旧紧张地说。

“毛毛虫？你再仔细看看。”朱有德责备小神农说。

小神农内心忐忑地走上前去仔细观察，原来所谓的毛毛虫是这棵树上开的花。小神农满怀歉意地说：“原来是我搞错了，不过从远处看，这棵树上的花真的特别像毛毛虫。”

“还好我没有心脏病，不然我早就让你吓得犯病了。你难道连这棵树也不认识吗？”朱有德说。

小神农看了看，无奈地摇了摇头。

“这是乌桕树，浑身是宝。乌桕的树根、树皮、树叶均可入药，具有消肿解毒、泻下利尿的功效，《南宁市药物志》中记载‘根为泻下峻药，并可催吐’。除此之外，还可以从树皮和树叶中提取出有效物质，加工成油漆、蜡烛、肥皂等。由于乌桕树开出的花朵为橙黄色或浅红色，所以乌桕树也可以作为绿化树木。”朱有德解释说。

小神农一听说乌桕树作用如此大，好奇心浓厚的他凑上前去仔细观察。朱有德猜想小神农必定观察不出什么，就解释说：“你刚才看到的非常像毛毛虫的，正是乌桕花。乌桕树属大戟科落叶乔木，高度可达15米。叶柄较长，叶子交错相生，前期为黄绿色，后期变为浅红色或橙黄色。花序为穗状，分为雄花和雌花两种，花期一般为春季。果实为椭圆状，成熟后是褐色。种子为黑色，外部被一层白蜡包裹着。”

小神农听师傅讲得头头是道，不觉对师傅的敬佩又增添了几分。在小神农眼中，师傅就是无所不知、无所不能的人。

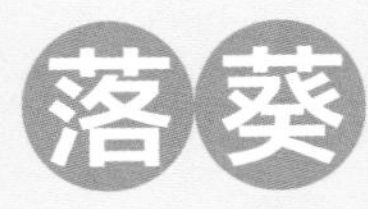

落葵——滑肠通便的“木耳菜”

小神农跟朱有德相处的这段时间里，基本上没有见过朱有德生病。小神农内心感慨道：行医者也是养生者，毕竟身体是革命的本钱。

今天上山格外累，朱有德担心小神农疲劳过度就让他躺在屋里休息一下。小神农本想躺一会就起来给师娘帮忙，结果，刚闭上眼睛就睡着了，最后还是师傅把他叫醒的。

来到厨房，师娘已经把菜都做好了。小神农低头看看，一盘红烧肉、一盘松仁玉米、一碗青菜汤，色香味俱全，他顿时食欲大开。小神农吃得非常快，顾不上跟师傅说话，一会功夫他就吃饱了，可再看看坐在对面的师傅，依旧细嚼慢咽。小神农突然不好意思起来：“师傅，我是不是吃得太快了？”

朱有德笑着说："确实有点快，你要记住，吃饭慢一些，这样对胃有好处。你现在既然吃好了，就喝点汤吧。"

小神农原本以为师娘做的是菠菜汤，但是喝到嘴里才发现，其实并不是菠菜。他仔细品尝，但是依旧猜不出来到底是什么菜。

朱有德看到小神农似乎有疑问，就问道："汤好喝吗？口感怎么样？能喝习惯吗？"

"味道还可以，就是不知道这是什么汤？"

"这是落葵汤。"朱有德回答。

"落葵？我怎么没有印象？"小神农说。

"落葵别名为木耳菜，属于一年生缠绕藤本，适宜生长在沙质土壤中，茎长数米，外表为绿色或紫红色。果实为圆球形，以紫红色和黑色为主。花期一般在夏季，果期在秋季。"朱有德解释说。

"我实在是想不起来。落葵是药材吗？在哪本医书中有记载？它有什么疗效呢？"

"落葵当然是药材了。落葵性寒，味甘、酸，具有滑肠通便、清热利湿、凉血解毒、活血的功效。入药可治疗小便短涩、大便秘结、跌打损伤、痢疾、热毒疮疡等症。你如果用心看书的话，在《名医别录》中就可以查到关于落葵的详细记载。"朱有德回答道。

小神农一听落葵具有这么多作用，不由多喝了几碗汤，朱有德看到小神农一脸崇敬的表情，开玩笑说："看来你还有很长的路要走啊！"

小神农也不甘示弱，对师傅说："师傅，您听说过长江后浪推前浪这句话吗？您可要坚持活到老学到老，不然我迟早可是要超过您老人家的！"

——促进肠胃消化的良药

今天早饭期间，朱有德一再叮嘱小神农要多吃一些饭，因为今天采集的药材并不像往常那样，今天需要靠力气去采集药材。小神农一听顿时好充满奇心，浑身也充满了力量。吃过早饭，朱有德又叮嘱小神农一定要带上铲子和手套，小神农多次查看工具，以防落下。

二人终于向山上出发了，小神农忙活了一早上，到现在还不知道今天究竟要采集什么药材，就着急地问朱有德："师傅，咱们今天到底要采集什么药材呢？"

"我们今天的采集目标是京大戟。"朱有德回答说。

小神农在脑海中迅速搜索一遍，却没有找到这味药材，他断定这一定是自己还没有学到的药材，就想询问师傅关于京大戟的基本

知识。

朱有德料到小神农在这种情况下，是必定会问问题的，所以他索性主动解释说："京大戟属于多年生草本植物，花期在春季，果期在夏季。果实为三棱形，表面有凸起的疣。"

"那京大戟根长什么样呀？毕竟根在土下，根本看不到啊。"小神农噘着嘴。

"京大戟的根为圆柱形，有分枝，表面为浅棕色，质地较为坚硬。"朱有德回答。

"因为我们今天要采集的是京大戟的根，所以才需要带上铲子和手套，对吧？不过，我还有个问题。最近好久都没有下雨了，地面一定很紧实，所以咱们挖京大戟的根一定不容易。"小神农心事重重地说。

"这个问题我已经考虑过了。不用太担心，因为京大戟的根一般很坚硬，我们只需要把它周围的土都松一松，然后轻轻拔一下就出来

了。”朱有德安慰小神农说。

不知不觉间两人已经找到一株京大戟，朱有德率先示范给小神农看。小神农看着师傅挖的时候一点都不费力气，就自己跑到一边开工了。哪知刚挖了几段，小神农就累得筋疲力尽了。

小神农抱怨说：“什么京大戟，我看就是树根，肯定没啥大用处。”

朱有德在一旁听见小神农抱怨，就走到他面前说：“付出跟回报是成正比的，既然京大戟这么不好挖，那么它就必定有大用处。你知道京大戟有什么作用吗？”

小神农摇摇头，朱有德接着说：“京大戟性寒，味苦，归肺、脾、肾经，最善泻水逐饮、消肿散结。医书中说它‘用于壮实体质之腹水，全身水肿。胸肋膜积水等’，另外，二便不利、气逆咳喘、痰饮、疮疖都可以治疗。”

听着师傅细致的讲解，小神农的疲惫早就烟消云散了。

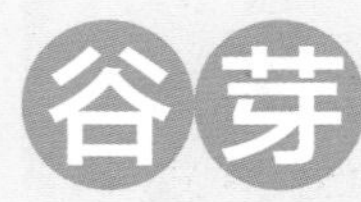

谷芽——消食健脾的稻芽

朱有德最近由于肠胃不适，基本上都不怎么上山采药了，小神农只好自己一个人孤单地上山。朱有德每天都叮嘱他采集不同的药，并教他如何去辨别药材。

这天傍晚，小神农采药回来，发现朱有德满面笑容，就猜测师傅病情一定好转了。

晚饭期间，小神农关切地问：“师傅，我看您今天心情挺好的，是不是肠胃好点了？”

朱有德开心地说：“对呀，今天感觉好多了，明天就能跟你一起上山采药了。”

小神农开心地叫好，可没一会儿就又陷入无限循环的问题模式，因为他实在好奇师傅是如何这么快恢复的。

朱有德似乎已经察觉到小神农要问什么，于是提起装有黄色茶水的杯子喝了口水，小神农注意到这个细节，急忙询问师傅喝的是什么茶叶。

朱有德笑笑说："孺子可教也。我喝的是谷芽，又称为稻芽，属于禾本科植物稻。性平味甘，具有消食化积、健脾开胃的功效。"

小神农急忙端起师傅的茶杯，仔细观察里边的茶叶，朱有德在旁边唠叨着："平时没事让你多看看书，你不乐意，非要跟我一起上山采药，其实书上的药材种类要远远多于我们在山上见到的，所以看书也不能落下了。"

小神农在一旁用力点点头，继续问道："师傅，谷芽的形状我看不太清楚，您能给我详细说说吗？"

朱有德看着勤奋好学的徒弟，笑着说："我只讲一遍，明天你可以自己炮制一些谷芽出来，方法当然是自己去查书了。"

"好的，没问题。"小神农开心地回答道。

"谷芽整体为扁长型，表皮为黄色，带有细毛，质地较为坚硬。无气味，味道微甜。内部被一层薄膜包裹着，整体为黄白色。"朱有德补充道。

"师傅，谷芽既然是稻子发的芽，那稻子长什么样呢？我都没看到过呢。"小神农的问题又来了。

"稻子属于栽培植物，适宜种植在多水的地方。插秧的时候，需要在土地里注入适量的水，随着水分的自然蒸发，稻子就成熟了。水稻有杆，高度可达1米。叶子较光滑，整体较为坚硬，整体为针状。花序为圆柱状，成熟之后向下垂。花果期均在夏、秋季节。"朱有德耐心地回答道。

"真是神奇，生活在水里的农作物。"小神农不由畅想起来。

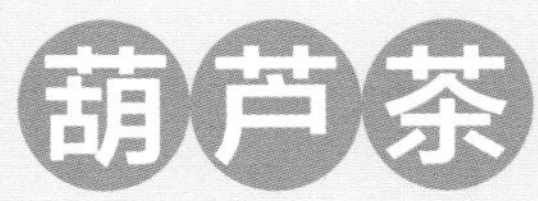

葫芦茶——消积利湿的茶

天气越来越热，朱有德和小神农基本上每天只有下午才能上山采药。

小神农发觉，师傅从入夏开始就养成了喝茶的习惯，而且，每天还要自己跟着一起喝。小神农不了解师傅的初衷，于是就一边喝茶一边询问说：“师傅，咱们最近每天喝的茶叫什么名字？有什么功效呢？”

朱有德一边喝茶一边反问小神农说：“你做我的徒弟也有一阵子了，今天我来考考你，你觉得这茶会有什么功效呢？”

师傅的回答让小神农摸不着头脑，小神农只好综合自己这些天来学到的知识来“冲关”了。他思考片刻，然后用试探的口气说：“您是从入夏开始喝这种茶的，那么它应该具有预防中暑的功效，我猜的

对吗，师傅？”

朱有德耐心地回答说：“你思考的方向完全正确，但是功效却没有回答出来，我给你提个醒，你可以尝试从健胃方面切入。”

“师傅，您这样提醒，谁都能猜出它的功效了。”小神农满脸坏笑。

“好了，我就不跟你兜圈子了，我们喝的这种茶叫葫芦茶，性凉、微苦，能够起到清热解毒、消积利湿的作用。它不便可以防中暑，还可以治疗感冒发热、咽喉肿痛、小儿疳积、泄泻、风湿关节疼痛等症。”

“葫芦茶？是我们可以种的葫芦茶吗？”小神农一听就来了精神。

“对，就是这种葫芦茶，下午上山我便带你去采，夏季采集这种药材，可谓是正当时。”朱有德笑着说。

下午师徒二人上山采药，朱有德带着小神农径直走向低丘陵的草丛中，小神农见朱有德蹲下身，自己也急忙蹲下身，一会儿功夫，朱有德就找到葫芦茶了，小神农凑上前去仔细观看，只见葫芦茶的茎高达2米左右，叶片为针状单叶，花序多长在顶部或者枝叶部。此时是夏季，花正盛开，花色为紫红色。

朱有德又告诉小神农：“它的果期在11月前后，表面附有白色的茸毛。种子为椭圆形。”

看完之后，小神农突然想到一个问题：如何区分葫芦茶的好坏？

朱有德似乎也想到了这一点，于是便说：“葫芦茶以叶多、干燥、色青带红、无梗者为上品。”

小神农听过之后，十分开心，因为他又学习到一种新药材。

师徒二人休息片刻之后，就又开始采集药材，小神农意识到葫芦茶的益处，于是就采集了许多，师徒二人在天黑之前匆匆下山了。

——健胃生津的多效药

小神农还在睡梦中就闻到饭香了，于是他立刻起床洗漱，原来师娘今天做了他最爱吃的韭菜鸡蛋和酱汁红烧肉。小神农开心之余，一口气吃了两大碗米饭。

朱有德看着徒弟对这些菜如此喜欢，就笑着说：“别吃太多，对胃不好，喜欢的话，下次再让师娘做给你吃。”

小神农信心满满地说：“好的，不过我的胃好着呢，吃再多也没事。”

朱有德听小神农这么说也就没有再说什么，等小神农吃完饭，师徒俩一起上山采药。

小神农兴高采烈地背着竹筐走在前面，不一会儿就放慢了脚步，朱有德感觉情况不妙，就急忙走上前去。看到小神农脸色苍白、双手捂着胃，朱有德便猜测，小神农一定是早饭吃得太多，不消化了。

小神农看到师傅走过来，惭愧地说："师傅，不好意思，都怪我贪吃，估计今天不能上山采药了。"

朱有德把小神农搀扶到树下坐着，叮嘱道："坐这里不要动，我一会儿就回来。"说完，转头就走了。

小神农不知师傅要去哪里，满眼委屈地望着师傅的背影。

大约20分钟之后，小神农看见师傅满头大汗地回来了，手中还拿了几枚类似大枣的黄色果子。朱有德走到他跟前说："来，快把这果子吃了。"小神农乖乖地吃下去。

小神农不知道这是什么药材，只是感觉吃到嘴里有股酸酸甜甜的味道，便不解地问朱有德："师傅，您给我吃的是什么药材？这个能

缓解我的症状吗？”

朱有德边擦汗边回答说：“这种药材叫人面子，其性凉，味甘、酸，具有健胃消食、醒酒益肝的功效，平时食欲不振、热病口渴、咽喉肿痛、风毒疮痒等症都可治疗，你这点小问题更是药到病除了。”

听完朱有德的解释之后，小神农更加有兴趣了，追着师傅问东问西，朱有德笑笑说：“听我慢慢讲给你听。人面子属于一年四季常绿植物，树高15～20米，叶子属于奇数羽状复叶，表面附有茸毛。花序为顶生或腋生，花色为白色。果实为扁球形，颜色为黄色。从这几个方面就可以简单了解人面子。”

小神农拿起手中仅剩的最后一枚人面子，仔细观察过后，自言自语道：“我怎么看都觉得这跟杏差不多，只不过，杏吃了容易上火，而这个吃了可以消食。”

一旁坐着的朱有德，听到他自言自语个没完，就问道：“你现在是不是感觉好多了？”

小神农这才想起来，胃疼的症状不知在什么时候已经消失了。于是，他开心地站起来，叫着：“师傅，真的好了，我们快上山吧。”

朱有德看到徒弟病情好转，终于放下心，带着徒弟向山上走去。

——远离消化不良的烦恼

朱有德和小神农每天都会定时上山采药，他们采集的草药救助了镇上无数的村民。小神农每天都感觉生活过得非常充实，所以采药的劲头也更加足了。

“师傅，咱们赶快上山吧，如果去晚了，我们就会少采好多药材。您不是说过当季的药材要当季采集才最好吗？”小神农背着竹筐，站在朱有德身旁催促着。

“你一心向学是很好，但是你现在脾气涨得比知识还要快，上山不在于快慢，而在于你有没有能力准确识别并采摘药材。”朱有德语重心长地说。

小神农觉得师傅说的话很有道理，于是默默地检查了一遍自己药筐的工具，然后才随师傅出门。

他们路过一片开满啤酒花的坡地，师徒二人同时停住脚步，朱有德一言不发，因为他想要考考自己的徒弟，而小神农早与师傅产生了默契，不待师傅问便张口说："师傅，这应该就是啤酒花吧！"

"你说的非常对，关于啤酒花，你都知道哪些特征与功效呢？"朱有德边采集啤酒花，边侧目看向小神农问道。

"啤酒花又叫蛇麻花，详细信息和作用在《新疆中草药手册》中都有记载。啤酒花属于草本植物，喜光喜凉，可用于酿造啤酒和入药。我能记起来的只有这些了，师傅我说的对不对？"小神农挠挠头说。

"你说的虽然对，但是不全。"朱有德说道。

小神农追问道："我把哪些知识漏掉了，师傅请讲，我洗耳恭听。”

“你虽然知道啤酒花属于草本植物，但是关于啤酒花的外形，你却并没有记住。啤酒花属于攀岩草本，通体均有茸毛和倒刺。叶子为卵形，根部较宽，尾部较尖。花期在夏季，果期在秋季。另外还有一点你答得非常好，啤酒花有两种用途，一种是酿酒，另外一种是入药。但是你知道这两种用途的区别在哪里吗？这个在《新疆中草药手册》中也有记载。”

小神农摇了摇头，继续望向朱有德。

“果穗供制啤酒用，雌花药用。”朱有德解释之后，又问道，“你知道啤酒花有什么药效吗？”

小神农根据啤酒具有开胃的作用，推测说：“啤酒花应该具有开胃消食的作用。”

“说得太简单了，书中记载，啤酒花具有健胃消食、利尿安神，及治消化不良、腹胀、浮肿、膀胱炎、肺结核、失眠等的作用。”朱

有德补充说。

深入的切磋和交谈，总让师徒二人感觉时间过得飞快，他们觉得才片刻功夫，但是大半天却已经过完了，为了提高采药效率，师徒二人齐心向前赶路。

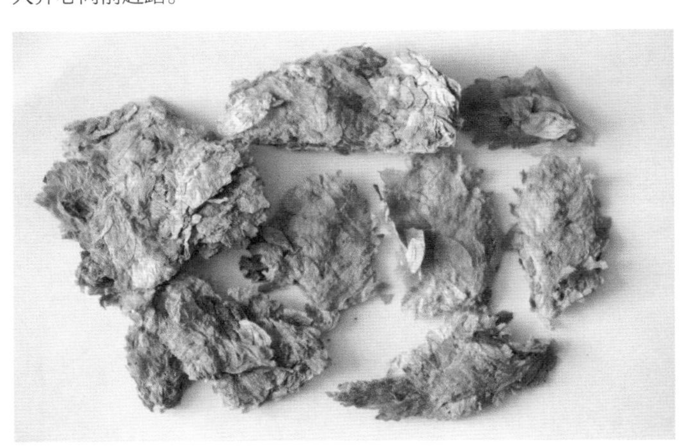

——缓解小儿积食的法宝

秋季不仅是许多果子成熟的季节，也是许多药材采集的季节。朱有德和小神农都分别换上了稍微大一点的竹筐，带足了干粮，向山上走去。

出门前，朱有德已经把今天采药的任务分配好了，他们今天总共需要采集3种药材，但是小神农似乎自动忽略掉前两种，只对最后一种药材感兴趣，这种药材便是枳椇子。

朱有德看到小神农并没有往常积极，便询问道："以往你都会跟我争着抢着去采集这些药材，今天你怎么这么专一，只想采集枳椇子？"

“师傅，我今天不是想要偷懒，而是因为我书中刚看过这种药材，今天我想亲自采集一些，顺便检验一下我掌握的知识。”小神农辩解说。

“看到你这么用心，师傅很欣慰。看来我要把我的真本事都传给你了。”朱有德语重心长地说。

“师傅，您别煽情了，说得我眼泪都忍不住快要掉下来了。我看我还是跟您说说我在书中看到的枳椇子特征，您帮我检查检查，看看我有没有漏掉的知识。”小神农调皮地说。

小神农一边帮师傅采集前两种药材，一边跟朱有德讲解自己记忆中枳椇子的样子：“枳椇子有许多别名，但是我印象最深的是万寿果。枳椇子属于鼠李科，在适宜的条件下生长迅速，高度可达30米。”

“你这样说太简单了，能不能再详细点，让外行人听了你口中的枳椇子都能准确地认出这株植物？”朱有德看到徒弟艰难地回忆，忍住不提示道。

“师傅别急，听我慢慢说，枳椇子的树皮为褐色，表面分布有小孔。叶子的厚度与皮革类似，形状有椭圆、心形、卵形。果实外形为黑色球形，内部多为红褐色，味道甘甜。花期一般在夏季，果期在秋季。”小神农不紧不慢说着。

“我有一个问题，你既然对枳椇子的枝、树皮、叶、花、果这么了解，那么你知道他们都分别有什么作用吗？”朱有德反问小神农。

“这些我倒是不记得了。”小神农吐吐舌头，低下头。

朱有德喝完水之后，开始讲道：“枳椇子的树皮可以入药，能够有效缓解小儿积食和腓肠肌痉挛。叶子具有止渴降燥的功效。果实和种子是清凉利尿药。果梗具有健胃补血的疗效。这些在书中能够找到，可能你看过之后忘记了。”朱有德想了想，又说，“如果你嫌这样麻烦，也可以按书中背诵。《本草拾遗》中记载枳椇子‘止渴除

烦，润五脏，利大小便，去膈上热，功用如蜜’，如此，你也就知道它是一味助消化的药了。”

“还是师傅厉害，我白看了半天书，还是没记牢。”小神农挠挠头，不好意思地笑了。

——预防食积腹胀的首选药

今天的天气可谓是晴空万里，小神农和朱有德二人都想早早上山采药，所以吃过早饭，带好采集工具就立刻出发了。

“我们今天的主要任务是采集鸢尾。”朱有德边走边看着小神农说。

“是‘鸳鸯’的‘鸳’吗？”小神农满脸好奇地问。

“当然不是，是‘纸鸢’的‘鸢’。”朱有德解释完，忽然想到什么，又对小神农说，“依我对你的了解，如果你看过某种药材知识，一定会记住名字。看来鸢尾这种药材，你压根就没看过，估计你连基础知识都答不上来了，甚至根本就不能正确找到这种药材。”

“那可不一定，待会您带我去采集，我一边采集，一边运用我学过的知识，给您总结。您给我评判一下，看看我到底能得多少分。”小神农自信满满地说。

朱有德带着小神农来到一片向阳的山坡上，周围稀疏地散布着高大的树木。小神农见朱有德蹲在一片开着紫花的药材旁边，便走上前问道：“师傅，这个就是鸢尾？”

“对，这个正是鸢尾。既然你已经认出来了，那么就总结一下鸢尾的外形特征吧！”朱有德说。

“鸢尾应该属于被子植物，师傅，我就从外向内分析吧！鸢尾花均为蓝紫色，花茎较短，花株较高，花形呈喇叭状。叶子为黄绿色，两端略窄，向下弯曲。”小神农拔起一根鸢尾，竟然看着它娓娓道来。

“听你的回答，感觉你应该在书中看到过了，不然怎么可能回答得这么好，基本上重点部分都回答出来了，只不过没有精确到具体的数字。我对你今天的表现非常满意，所以可以给你80分。”朱有德笑着说。

小神农并不接话，却反问师傅说：“师傅，鸢尾具有哪些疗效？这些跟外形不同，所以我没办法总结出来。”

“不同书中对鸢尾的药效记载不一样，《神农本草经》中提到

‘主破癥瘕积聚，去水，下三虫’。《贵阳民间药草》所述鸢尾‘治食积饱胀’，不过，你可以记它是一味有助肠胃消化的中药，因为它性寒，味苦、辛，解毒、消积、活血、祛瘀功效强大，对于食积腹胀、咽喉肿痛、跌打损伤等症都可以治疗。”朱有德分析说。

听过师傅精准的解析后，小神农非常开心，紧紧跟随着师傅的脚步朝山下走去。

柚——清火健胃合二为一

秋季不仅是果实和药材的成熟季节，也是最舒适的季节。

朱有德和小神农在夏季的时候，每天都是天刚亮就起来上山采药，天色渐晚了才回来。但是秋季就不同了，他们俩经常晚睡晚起，因为晚上需要整理白天采集的草药。

虽然是秋季，但是在山上采摘大半天的药材，还是会口干舌燥。小神农顺手去拿原本他以为放在竹筐里的水壶，结果找遍了整个竹筐也没有发现水壶的踪迹，他转头问朱有德说："师傅，你竹筐里有水壶吗？"

朱有德开始翻找自己的竹筐，结果也是一无所获。小神农这下着急了，但是跟小神农一比，朱有德倒是显得特别淡定。

小神农怕师傅说自己马虎，所以什么也没说，便紧跟师傅的脚步向山上走去。小神农低着头走路，每隔三五分钟，他就抬头向前方望望。当他第3次抬头的时候，远远就看到一大片种有柚子的空地。小神农心想：有柚子可以吃，终于能够缓解口渴了。

朱有德和小神农走到柚子树下，大多数柚子已经成熟，枝干被压得特别低。朱有德凭借自己的经验挑选了两个柚子递给小神农，师徒二人找到一片空地坐下。他们一边吃柚子，一边就又聊起柚子的外形和疗效。

朱有德说："柚子在《神农本草经注》里边单称'柚'。柚子的作用在《本草纲目》中有记载，'饮食，去肠胃中恶气，解酒毒，治饮酒人口气，不思食口淡，化痰止咳。'所以，柚子不仅能够解渴，还具有健胃、泻下的作用。而且，它的皮在中药中被称为橘红，其性温，味苦、辛，用来理气化痰、健脾消食最好了。"

小神农点点头，抢着说："不过，柚子的模样看起来有点笨笨的，您看它的果实都十分硕大，有的是扁球状，有的是梨形。果皮摸起来非常光滑，外表大多为绿色或淡黄色。给人的错觉好像是吃下去不太容易消化。不过柚子的叶子跟橘子的叶子非常相似，它的果肉跟橘子也非常相似，隔分成瓣，瓣间易分离，味酸可口，只不过柚子的果肉是白色或红色，而橘子的果肉均是红色。"

朱有德笑着说："恩，说得非常对。不过现在赶紧吃柚子，不然一会儿讲话多了就更加口渴了。"

小神农听师傅的话低头专心吃起柚子来。

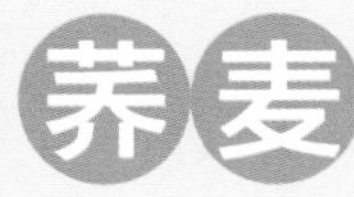

荞麦——润肠开胃的粮食

春天是万物复苏的季节，师徒二人精神饱满，早早就上山采药了。上山途中他们路过一片仅有几株直立茎植物的空地，小神农好奇地低头仔细观察，想要弄明白这些是不是某种药材。

站在旁边的朱有德将这一切都看在眼里，其实，他早就注意到这片空地上的植物了，所以告诉小神农：“这植物是荞麦，虽然不能做主食，但也是粮食的一种，只不过收成不高。”

“师傅，这荞麦好像与小麦有些相似。”小神农眨着大眼睛，仔细看个不停。

朱有德不紧不慢地说："对，确实有些相似，不过，两者还是略有不同。荞麦又名三角麦或乌麦，属于蓼科，而小麦属于禾本科。荞麦分为春荞和夏荞，这个季节刚好是春荞的成熟期。从生长的地理位置上可以分析出，春荞适合凉爽湿润的土壤，不耐高温和霜冻。春荞的花多为单被，且以白色为主。荞麦子为实心黑色，可磨成面粉食用。"朱有德说完，又接着说了句，"哦，对了，荞麦不但是粮食，也可以入药呢。"

小神农用力地点点头，不无好奇地问："师傅，荞麦既然也属于药材，那么

它的功效有哪些呢？”

“荞麦性平，味甘，如果取其茎叶入药，则可降血压，止血。而它结出的种子，却是健胃、收敛的。因此，荞麦具润肠开胃、行气消积、降脂降糖、促进新陈代谢的功能。如果有肠胃积滞、胀满腹痛、湿热腹泻、痢疾等问题，用荞麦煮粥食，或者炒制泡茶都很不错。”朱有德说。

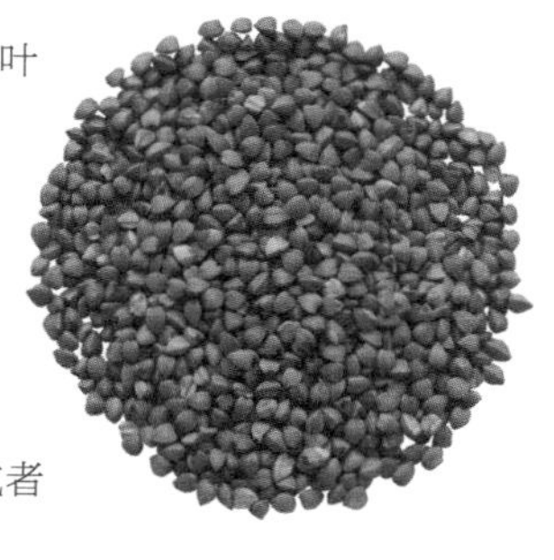

小神农感慨道：“看着不起眼的药材，居然具有这么多的功效。”

“其实，荞麦的功能还多着呢，除了以上的功能，荞麦还具有增强血管弹性、止咳平喘、祛痰的功效。”朱有德说。

“师傅，您的这些知识都是从哪些书中看到的？我怎么都没看过？”

“医书有许多，不同医书上的记载会有重复的，也有不同的补充。你只有遍览群书，才能知道得更多呀。”朱有德耐心回答小神农的每一个问题。

“师傅，不知道怎么回事，一听您讲荞麦，我总是想起小麦。”小神农笑着说。

“我看你是馋大白馒头了，快走吧，晚上回家，让师娘给你蒸馒头吃。”朱有德笑着朝前走去。

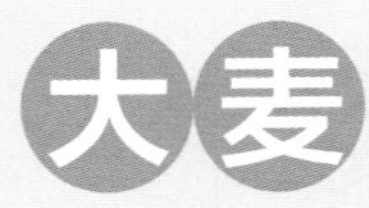

——健脾利尿不可少

小神农跟着朱有德学习的时间越久，掌握的知识就越多。但是，知识多了就容易出现知识混淆的问题，朱有德也在为这件事情而担忧。

今天朱有德布置的采集任务中，有一种叫大麦的药材。朱有德考虑到小神农容易混淆知识，所以他灵机一动，打算开启一种全新的教学模式。

大麦别名为牟麦、饭麦、赤膊麦，我们很容易就联想到小麦，事实上两者也非常相近。大麦跟小麦的营养成分相近，同属于一年生禾本，大麦的秆与小麦也十分相近，同属于光滑的粗秆，叶子和果实均非常相似。但是大麦中含有丰富的纤维素，这是小麦所不具备的。所

以，从根本上来说，两者还是有所区别的。

朱有德把小神农带到一片小麦田，考验他。果然，小神农张口就说："师傅，这里好多大麦，我们采集大麦的任务很快就可以完成了。"

朱有德并没有回复小神农，而是用眼神提醒他再仔细观察一下。

小神农领会到师傅的意思，经过再次仔细观察后，才认出来是小麦。朱有德借机带小神农又重新回顾一遍大麦的知识。

小神农委屈地说："师傅，我容易出现识别错误也是正常的事情，您想想，药材种类那么多，但是我的脑袋只有这么大，怎么可能装下那么多的药材知识呢？"

朱有德在一旁笑着说："我的傻徒弟，记忆知识是有规律的，不是比谁的脑袋更大。比如小麦和大麦，你需要重点记忆两者的不同点，而不是把这两种的详细知识都记住。"

小神农似懂非懂地点了点头。朱有德接着说："我今天就是为了考验你，才故意带你来这片小麦田。平时我苦口婆心地讲解你一点都听不进去，今天刚好借助这个机会让你受教一下。"

"师傅，我平时没有不听话。比如您让我看书的时候，要记清楚不同药材的作用，我都记住了，大麦性凉，味甘，能健脾消食、除热止渴、利小便。《唐本草》中的原话是：'大麦面平胃，止渴，消食，疗胀。'"小神农为自己辩解道。

"作用讲得很好，不过你要兼顾其他知识，因为如果你不能区分清楚药材的模样，那么药效记忆得再好也没用。"朱有德解释说。

"师傅，我这次记住了，您老人家放心吧！"小神农笑着说。

巴豆——破积通便有妙招

今天的天气可谓是万里无云，晴朗的天气总是能带给人们许多舒爽的感觉。

小神农一大早就听到朱有德一边哼唱小曲，一边洗漱。小神农也赶紧起床，待到坐在餐桌前，才问：“师傅，今天是不是有什么好事要宣布呀？”

朱有德一时竟想不起来该如何回答小神农，就随口说道：“的确有一件事情要宣布：今天我们要上山采集巴豆。”

“采药是我们经常要做的事情，更何况采集巴豆也称不上是什么重要的事情，用不着这么高兴吧？”小神农不解地问。

“你在现实生活中见过巴豆？你能详细描述出巴豆的形状特征和药效来吗？”

经过朱有德这么一问，小神农顿时大脑一边空白。于是，他满腹疑问地跟着朱有德上山了。

很快，小神农就在师傅的引导下顺利找到了巴豆，但是他居然认为这是核桃。朱有德一番苦笑之后，解释说："我的小徒弟，核桃和巴豆差远了。巴豆属于大戟科，准确来讲，巴豆是巴豆树的果实。巴豆树浑身是宝，不仅果实可以作为药材，根和叶也都可入药。巴豆树属于一年四季常绿的药材，但是花期一般在春季，果期一般在夏季。巴豆的外形跟核桃十分相似，但是却比核桃要小很多。剥开之后里面为黄白色，口感辛辣。"

小神农一边专注地听师傅讲解，一边努力回忆。终于在大脑中搜寻到了巴豆的信息，朱有德观察到小神农的表情了，于是问道："你给我解释一下巴豆的作用吧！"

小神农信心满满地说："巴豆以果实入药，其性热，味辛，能破积、逐水、涌吐痰涎，有助于治寒结便秘、腹水肿胀、寒邪食积所致的胸腹胀满急痛、大便不通、泄泻痢疾、水肿腹大、痰饮喘满、喉风喉痹、痈疽、恶疮疥癣。在《日华子本草》中也记载有：'通宣一切病，泄壅滞，除风补劳，健脾开胃，消痰破血，排脓消肿毒，杀腹藏虫。治恶疮息肉及疥癞疔肿。'"

小神农总是会让朱有德出乎意料，朱有德原本以为小神农会向自己求救，但是他没想到小神农一股脑把作用都说全了。

"我刚才问你的时候，你既然知道巴豆的形状和药性，为什么不回答？你小子胆子越来越大了，居然连师傅都敢欺骗。"朱有德与小神农开起玩笑来。

小神农委屈地解释说："刚才大脑突然短路了，听到您讲解巴豆的形状，我才回忆起之前看过的知识。师傅，要怪就怪巴豆模样太大众化了。"结果，朱有德被他逗得大笑起来。

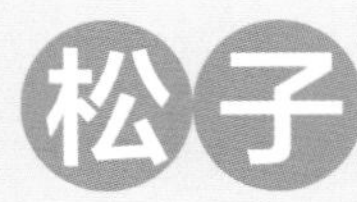

松子——滑肠通便特效药

小神农平时有一个爱好，就是嗑瓜子。自从他在医书上看到瓜子具有生血等多种功效以后，他嗑瓜子的频率就更高了。

朱有德起初看到小神农这样还觉得有些接受不了，不过时间久了也就习以为常了。今天师徒二人上山采药，朱有德看到小神农嗑瓜子，突然想到现在正是松子成熟的季节，正好可以去采集一些松子。

小神农听到师傅说要临时增加任务，非常不开心。向来勤快的小神农今天这一反常举动让朱有德不得不关心起来。

“你是不是哪里不舒服？怎么今天这么不喜欢采药？”朱有德关

切地问。

“没有不喜欢，只不过我还想让自己学一些其他的，让生活更加丰富。”小神农认真地说。

“采药不是一件简单的事情。从中学到的不只是药材的知识，还能学到一种认真的态度和严谨的思考方式。这些等以后你会慢慢明白，现在先跟师傅去采集松子吧。”朱有德笑着说。

小神农听师傅一讲，马上欣然同意，脸上很快又挂满了往日的笑容。

小神农一边走，一边在大脑中搜索松子的知识。很快，小神农就开始念念有词了：“松子，性平，味甘，

具有补肾益气、养血润肠、滑肠通便、润肺止咳等作用……”

“《玉楸药解》中记载松子具有‘润肺止咳，滑肠通便，开关逐痹，泽肤荣毛’之功效，所以你回答的还是很全面的。”朱有德走在前面补充着说。

“师傅，我有一个问题需要向您请教。”小神农认真地说。

“你什么时候学会跟我客气了，有什么要问的就直说。”

“松子究竟长什么样？它的形态特征我一时想不起来了。”小神农说。

“在我国松子分为两类，但是我们比较常见的是东北松子，所以我重点给你讲解一下东北松子的形状特征。东北松子由于树皮是灰褐色，所以又名东北红松子。它的形状特征，我们可以从花、果、叶三方面简单介绍。红松的花整体为圆球状密集分布，颜色以红黄色为主，分为雌花和雄花两种。红松的果实非常大，呈椭圆状，果期多在10～11月。红松的叶呈针状，并且坚硬无比。”朱有德解释说。

师徒二人说着说着就来到长满红松的地方，小神农抬头一看，果然跟师傅说的一模一样，不由敬佩地说：“师傅，您可真厉害，我什么时候能像您一样就好了。”

朱有德听完，笑着说：“会的，只要你肯努力，早晚会超过师傅。”师徒二人边说边采，很快采了大半筐，这才心满意足地下山去了。

祛风湿药

七叶莲——治疗急性风湿的“龙爪叶”

这天，朱有德像往常一样在药房忙碌着，只是偶尔探出头来看看天。“差不多该回来了。”朱有德嘴里嘀咕着。没过一会儿，便听到了匆忙的脚步声。

“师傅，师傅，您看我手里拿了什么！”小神农一溜烟跑进了药房。

朱有德眯着眼睛看了看：“七叶莲！”

“我在王二婶家见到的，据说是用来治疗风湿疾病的。”小神农喘着粗气说道。

“说得没错，七叶莲性温，味苦，归肾、肝、脾、肺四经，医书中就有记载，‘行气止痛，活血消肿，壮筋骨，治急性风湿性关节炎、胃痛、骨折、扭挫伤、腰腿痛、瘫痪’，便是指七叶莲了。”朱有德一边整理药材一边说。

“可我看这七叶莲跟其他草药也没有太大区别，我该如何分辨呢？”小神农有些疑惑地皱起了眉头。

“这七叶莲属于大藤本，最初成长时为直立灌木或小乔木，长大后的分枝相互攀援形成大藤本。它的茎长15～30米，基部的直径约15厘米，树皮呈黄棕色。叶子通常为小叶，并有7～9片。叶柄长15～60厘米，无毛。小叶片为革质，大多呈倒卵状长圆形，先端短小后逐渐变尖，基部为阔楔形或近圆形，两面均无毛，边缘为全缘。”

朱有德见小神农听得入迷，继续讲解道，“七叶莲为伞形花序，一般3～7朵簇生，它的苞片为卵形，且为革质。萼筒同样为革质，但无毛，其边缘有模糊的小齿。花瓣合在一起生长，最终形成帽状体，但通常落得较早。花盘略扁，中央则向下凹陷。果实为球形，背部略扁，直径2～3.5厘米，外果皮呈肉质。种子偏多，全部为黄白色的半圆形。”

“原来如此，可我还听见有人将这七叶莲称为龙爪叶，这又是怎么回事呢？”小神农继续提问。

“七叶莲的别称有很多，比如龙爪叶、大七叶莲、龙爪树、多蕊木等，它们所指的全都是同一类草药。这下你明白了吗？”

“明白啦！”小神农开心地大笑起来。对于他而言，没有什么是比学到新的草药知识更为有趣的事情了。

“师傅，我帮您整理药材！”

“好！”朱有德满脸笑意。

臭牡丹——祛风解毒的“臭花”

清晨，小神农一边伸着懒腰，一边走出房间。风轻轻地拂过脸颊，小神农闭着眼睛享受这舒服的时刻，可突然他睁开了眼睛。

“好臭！”小神农捂着鼻子叫喊道。

这气味是从哪里来的呢？小神农很想知道，于是他沿着气味一路寻找，只见后院的角落里开满了紫粉色的小花。

“这么美的花，怎么会这么臭啊！”小神农依旧捂着鼻子。

“这是臭牡丹。”朱有德不知何时站在了小神农背后。

小神农被吓了一跳。

“师傅，您如果喜欢花可以直接种牡丹啊，为什么要种这么臭

的？”小神农依旧无法接受这种气味。

“你不懂了吧。臭牡丹性温，味辛、苦，是一味不错的中药材。”

“那它是用叶子入药呢？还是用根呀？”小神农没想到这么臭的花还能入药。

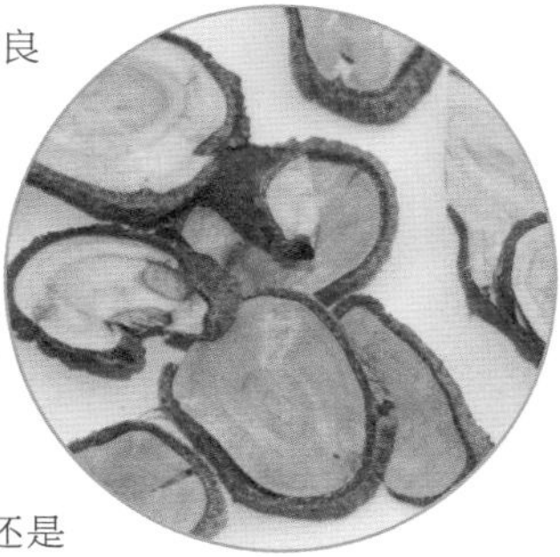

“臭牡丹的根和叶都是治病的良药，尤其是治疗风湿、祛风解毒。《本草纲目拾遗》中说它‘洗痔疮，治疗，一切痈疽，脱肛’，还有民间药典中说它‘清热利湿，消肿解毒，止痛’。”朱有德笑着说。

“虽然它气味不怎么好闻，但还是

很有用的嘛！那这臭牡丹除了臭，还有哪些特征呢？”

“臭牡丹属灌木，不高，在1～2米，闻起来有臭味。小的枝条大多为近圆形，表面的皮孔明显。叶为对生，叶片呈纸质，多为宽卵形或卵形，长8～20厘米，宽5～15厘米。它的顶端逐渐变尖，基部则为宽楔形、截形或心形，边缘有粗细不等的锯齿，表面通常具有散生的短柔毛，在它的基部脉腋有许多盘状腺体。”朱有德看向小神农，只见他的双手依旧捂在鼻子上。

朱有德笑着继续说：“臭牡丹为房状聚伞花序，顶生。苞片呈叶状，大多为披针形或卵状披针形，相比其他植株谢得较早，并且花也不时掉落。早落后，花序梗上便残留着凸起的痕迹。臭牡丹的花萼为钟状，被短柔毛且具有少数的盘状腺体，萼齿多为三角形或狭三角形，长1～3毫米。你看，这花冠有淡红色、红色或紫红色之分，裂片大多为倒卵形。它的花谢之后，就会结出球形的核果，径0.6～1.2厘米，成熟时颜色为蓝黑色。都记住了吗？”

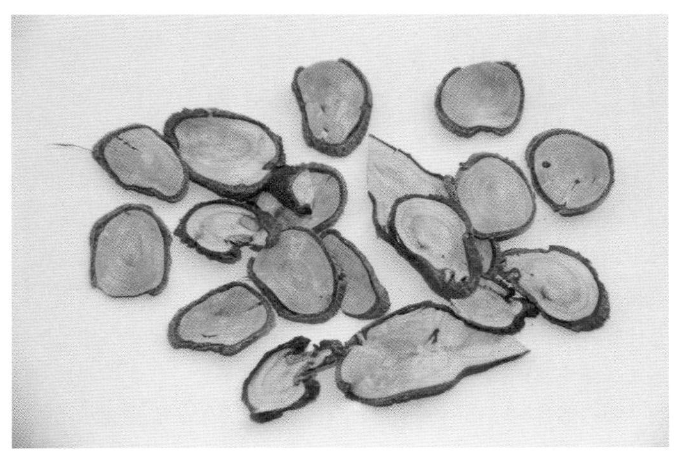

“我都记下了！”小神农因为捂着鼻子而发出浓厚的鼻音，“师傅，我们赶快走吧！”

朱有德不禁大笑起来，调侃道：“你这个鬼灵精啊！为师该拿你如何是好？”

小神农也低头嘿嘿地傻笑了起来。

梧桐叶

——镇咳祛痰之利药

吃过早饭后，小神农一边在院子里散步，一边复习以前学过的知识，今天温习的是梧桐叶的相关知识。

他细细看书中对梧桐树的描写：“梧桐树属于落叶乔木，高达16米。其树皮呈青绿色，树干平滑。”

“哇，梧桐树好光滑啊，爬起来应该不容易。”小神农想了想，不由嘴角流露出一抹笑来。很快，他接着往下看：“叶片为单叶互生，呈心形，直径15～20厘米，裂片则呈三角形，先端逐渐变尖，基部为心形，有的两面无毛，有的略被短柔毛。梧桐叶表面布满皱纹，并且着生于叶状果瓣的边缘。”

“叶子可没什么特点。”小神农在心里咕哝着，又看花的特征，“圆锥花序，顶生，长20～50厘米，下部的分枝长达12厘米，花有单性、杂性之分，但颜色大多为淡黄绿色。萼片分5个裂片，通常为长条形，并且向外卷曲，长7～9毫米，外面被淡黄色短柔毛，但没有花瓣。花谢后可结蓇葖果，全部为纸质，并具有柄，有的被短茸毛，有的则几乎无毛。种子通常为4～5颗，大多呈球形，直径约7毫米。”

“梧桐叶的功效有哪些呢？”朱有德从房间走出来，见小神农看得认真，便问道。

小神农自信地看着朱有德说道：“梧桐叶‘镇咳祛痰，除风湿，治麻木。外用止刀伤出血’，还能‘清热解毒，治痈疮肿毒’，另外，梧桐叶对治疗风湿尤其有疗效。”

“你可没说它的药性哦。”朱有德提醒着。

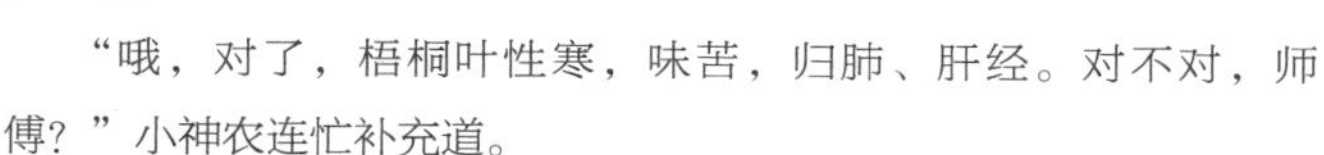

“哦，对了，梧桐叶性寒，味苦，归肺、肝经。对不对，师傅？”小神农连忙补充道。

朱有德肯定地点了点头，随后便将手里的药包递给小神农：“把这个给镇子西头的张三爷送去。”

小神农好奇地问道：“师傅，这里面是什么？”

“梧桐叶。昨日我出门时碰见张三爷，他说自己多年的风湿病发作了，腿疼得厉害，夜夜睡不着觉，所以你快将这草药送去。”

“是！师傅！”小神农接过药包便匆匆出门了。

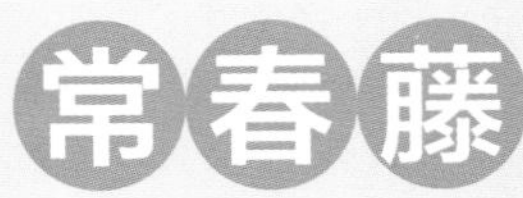

——祛风利湿之多效药

待小神农归来时，已接近正午，路过王二婶家门前时，小神农被突然跳出来的一团黑影吓了一跳。

“终于逮着你了！赔钱！”小神农这时才看清对方的相貌，是一个五官清秀，个子与自己差不多高的小男孩。

“你是谁啊？赔什么钱？我根本不认识你！”小神农皱着眉头说。

“早上你出门时撞到我，害我摔坏了我最心爱的盆栽！”小男孩生气地回应。

小神农这才回想起来，早上确实和一个人撞到了，不过他当时着急去送药，就没有仔细看到底撞到了谁。

“坏掉的东西呢？”小神农问道。

“呐，在那里！”小男孩指向角落里。

“常春藤？”小神农说道。

“你认识它？”小男孩有些惊讶。

“当然！常春藤是多年生常绿攀援灌木，长3～20米。茎为光滑的灰棕色或黑棕色，并生有气生根，幼枝通常有被鳞片状柔毛，鳞片通常有10～20条辐射肋。”小神农看向小男孩。

“你接着说，接着说啊，我还想听！”小男孩充满了好奇。

“常春藤单叶互生，叶柄长2～9厘米，其上长有鳞片，但没有托叶。花枝上的叶有的是椭圆状披针形，也有的是条椭圆状卵形，或者披针形、稀卵形、圆卵形不等，但都是全缘。叶子表面大多为深绿

色，且有光泽，下面为淡绿色或淡黄绿色，无毛或有疏生鳞片。它的花序多有不同，有的为伞形花序，单个顶生，有的则为2～7个总状排列，还有的为伞房状排列成圆锥花序，直径通常都在1.5～2.5厘米，有花5～40朵不等。常春藤花有5个花瓣，大多呈三角状卵形，颜色为淡黄白色或淡绿白色，且外面生有鳞片。花盘为隆起状，大部分是黄色的。它结出的果实为圆球形，直径7～13毫米，有红色和紫色之分。”

“你知道的不少嘛，那你能说出这常春藤有什么作用吗？”小男孩继续提问。

“当然是入药呀，它性温，味苦、辛，是不错的祛湿药。”

“是治疗风湿病吗？”那小男孩子很好奇。

“常春藤主要有祛风利湿、活血消肿、平肝解毒之效。不但可用于治疗风湿、关节疼痛，还可以治疗腰痛、跌打损伤、肝炎、头晕、口眼喎斜、肾炎水肿、闭经、痈疽肿毒、荨麻疹、湿疹等症状。”小神农的嘴巴就如同旋转的小陀螺，快速而准确地说着。

小男孩正要开口说话，便看见王二婶走了出来。“子恒，回家吃饭了。咦，小神农也在啊！”王二婶微笑着说道。

“奶奶，您认识他？”原来，这个叫子恒的小男孩是王二婶的孙子。

“当然！他是隔壁朱有德大夫的小徒弟！”王二婶慈祥地笑起来。

“王二婶，原来子恒是您的孙子呀？”小神农恍然大悟，怪不得自己不认识这个孩子呢。

“对啊，子恒最近放假了，来住一段时间！以后你就可以来找他玩了。”说罢，王二婶便带着子恒回家了。

——养肾气之“大补药”

晌午时分，太阳正烈，吃饱饭的小神农像往常一样，躺在草席上翘着二郎腿晒太阳。迷迷糊糊之间，小神农感觉到有什么遮住了太阳光。睁眼一看，原来是师傅。

“师傅，您也来晒太阳吗？”小神农调皮地问。

“快点起来，跟我去采摘臭牡丹。”朱有德催促道。

“啊？臭牡丹？师傅，我能不去吗？我干什么都行，唯独不想碰它！”小神农满脸不情愿地说。

“当然不行！必须去！快点起来！”朱有德严肃地说。

走在去后院的路上，小神农一直不停地嘀嘀咕咕，虽然朱有德不知道他在说什么，但心里明白，肯定都是些抱怨的话。距离臭牡丹越来越近，小神农用手捂紧了鼻子。

“咦，师傅，这是什么？”小神农还没看到臭牡丹却先发现了新植物。

“这是石楠叶。”朱有德一边采摘一边说，“石楠又名千年红，属于常绿灌木或小乔木，高4～6米，最高可达10米，并拥有光滑的枝。”

朱有德停下脚步，顺便给小神农普及一下石楠叶的知识：“它的叶片为革质，有长椭圆形、长倒卵形、倒卵状椭圆形3种形状。叶基部通常为宽楔形或圆形，边缘疏生并长有腺细锯齿，近基部有全缘。叶柄长2～4厘米，为复伞房花序，不仅多而且密集。花为白色，花瓣近圆形。花一谢就会结出近球形的梨果，直径约5毫米，最初时的颜色为红色，随着慢慢成熟逐渐变为紫褐色。”

“师傅，那这石楠叶的功效又有哪些呢？”小神农一边捂着鼻子一边问道。

“石楠叶性平，味苦、辛，有小毒，但是，它药用价值很高。《神农本草经》中说它：‘养肾气，内伤阴衰，利筋骨皮毛。’而《名医别录》中也有补充：‘疗脚弱，五脏邪气，除热。’另外，石楠叶对于风湿病也是极好的药物。”朱有德认真地说着，“石楠叶虽然性平，但却有小毒，所以，入药时一定要掌握好用量，否则后患无穷。”朱有德叮嘱道。

“我知道了，师傅！”小神农认真地点了点头。

南蛇藤——散血通经“小能手”

这天，小神农正在院子里晾晒臭牡丹，虽然他早已掌握了臭牡丹的外形特征，可是对于它的味道，小神农依旧接受不了。无奈这是师傅的命令，小神农不敢不听从。

“有人在吗？”正在小神农内心不快时，门外响起一个稚嫩的声音。

“来了，来了。”小神农马上三步并作两步跑了出去。只见子恒手里拿着一些类似野果子的东西站在门外。

看到小神农，子恒便率先开口说道：“我奶奶让我给朱大夫送点草药，说是从很远的地方运过来的。”说着，子恒伸手将东西递给小神农。

“给我就行了，我师傅在午休，谢谢王二婶。”

“不客气，再见！”子恒语气略带不满地离开了。

“谁呀？”这时，朱有德打开房门走了出来。

“哦，刚才王二婶托人送来了一些草药。”小神农说罢便将手里的草药递给朱有德。

朱有德看了看，笑道，“知道这是什么吗？”

小神农摇了摇头。

“这东西叫南蛇藤。它属落叶藤状灌木，小枝上光滑无毛，大多呈灰棕色或棕褐色，上面长有稀疏并且不明显的皮孔。腋芽很小，有卵状、卵圆状两种形状。南蛇藤的叶子通常分为倒卵形、近圆形、长方椭圆形3种形态，先端比较圆阔，并长有小尖头或短且渐尖的头，基部呈阔楔形、近钝圆形，边缘呈锯齿状，叶子两面光滑无毛，但有的叶背脉上具稀疏短柔毛。花序为聚伞状，腋生，偶尔也有顶生，它的花瓣呈倒卵椭圆形或长方形，长3～4厘米，宽2～2.5毫米。花盘呈浅杯状，不仅裂片略浅，且顶端圆钝。结球状蒴果，直径8～10毫米。种子呈椭圆状，但稍扁，呈赤褐色。”朱有德细细讲解南蛇藤的特征。

“师傅，这南蛇藤的药性是什么？又有哪些功效呢？”小神农追问。

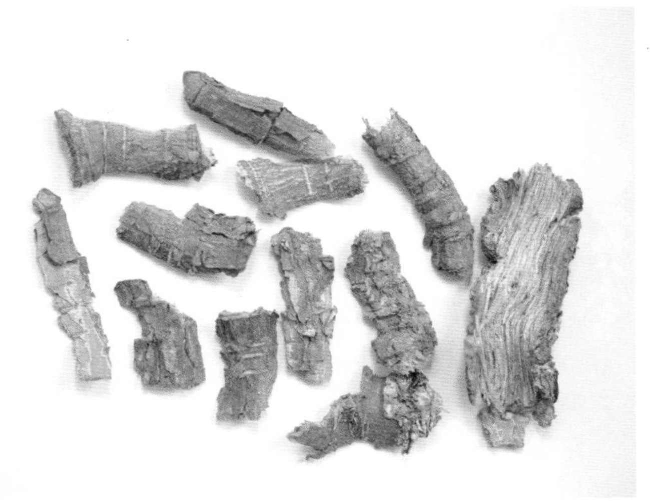

“南蛇藤不同的部位，药性不同，其果实性平，味甘、苦；而叶子则性平，味苦；但是根与藤却是性温，味辛的。《常用中草药配方》中说它的根、藤可‘散血通经，祛风湿，强筋骨，消炎解毒，治风湿筋骨疼，腰腿痛，骶骨损伤，多发性脓肿，毒蛇咬伤’，所以，风湿病用它最好了。”

“原来它也是治疗风湿的草药之一啊！这下我记住了！”小神农认真地说道。

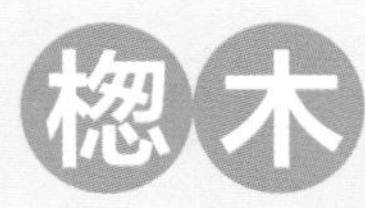

楤木——散瘀止痛的补药

吃过早饭，朱有德叫小神农去药房整理草药，并让他将前些日子晒好的梧桐叶、臭牡丹、七叶莲等草药按归类放好。

“咦，师傅，这是什么草药啊？”小神农突然像发现新大陆一般，指着右手边抽屉里的东西说道。

“这叫楤木。”朱有德看了看说道。

“楤木？这是干什么用的？”

“《闽东本草》中记载，楤木可‘补腰肾，壮筋骨，舒筋活血，散瘀止痛’。除此之外，它还有治疗风湿关节痛、腰腿酸痛、肾虚水肿、消渴、跌打损伤、漆疮、骨髓炎的功效。”朱有德微笑道。

“我知道了，可以治风湿的药，一般都是性温、味苦，对不对，

师傅？”小神农问道。

“那可不一定，楤木就是性平，味甘、微苦的药材呢。”朱有德纠正说。

“师傅，您能给我讲讲它的外形特征吗？”小神农继续追问。

“楤木属于灌木或乔木，通常高约2～5米，但少数可达8米，胸径10～15厘米。树皮为灰色，疏生粗壮且有直刺。小枝通常为淡灰棕色，其上有黄棕色茸毛，疏生时有细刺。”朱有德走到小神农身旁，继续说，“叶子为2～3回羽状复叶，纸质，叶柄略显粗壮，长可达50厘米左右。托叶与叶柄的基部合在一起生长，耳郭形状较为常见。叶轴大多无刺，但有的有细刺。羽片上长有小叶5～11对，基部有1对小叶。小叶片为纸质、薄革质，形状大多为卵形，先端逐渐变尖，基部为圆形，上面略微粗糙，下面长有淡黄色或灰色短柔毛，边缘长有锯齿……”

“那它的花呢？”小神农没等师傅说完，便着急地问。

“楤木会生圆锥花序，花数较多。苞片为锥形，呈膜质，其长为3～4毫米。花为白色，气味芬芳。它的的花瓣通常为5瓣，且呈卵状三角形，长1.5～2毫米。它的果实为球形，颜色为黑色，表面具有5条棱。”

“原来是这样。那这楤木全部都可以入药吗？”小神农看向朱有德。

“通常来说，以楤木的茎皮、根来入药。”朱有德拿起楤木，“你看，这就是它的茎皮。”

“这下我会分辨楤木了！”小神农笑着说道。

——治疗风湿骨痛的“小藤萝”

也许是因为昨天刚下完雨的缘故，山里的空气清新了许多，甚至还夹杂了一丝花香。小神农与师傅一前一后地走在上山路上。

“小神农，快看这是什么？”朱有德突然叫住他。

小神农忙向师傅手指的方向看去，只见一片藤萝般的植物纠缠在一起，郁郁葱葱，茂盛极了。

“这是……这是扁担藤？”小神农有点不敢确信。

“正是！你还记不记得它的特征，为师曾经可告诉过你！”朱有德想要考一下小神农的记忆力。

“当然记得！扁担藤是木质大藤本植物，茎是扁压状的，颜色为深褐色。小枝呈圆柱形或微扁，有纵棱纹，但没有毛。相隔两节间断并与叶对生。扁担藤的叶子为掌状，其小叶呈圆披针形，顶端逐渐变尖，基部为楔形，边缘每侧都有锯齿，但锯齿不太明显。它的叶子上面是绿色，下面是浅绿色，并且两面没有毛。而花序腋生，下部有节，节上有褐色的苞片。花蕾为卵圆形，顶端为圆钝状。花瓣有4片，全部呈卵状三角形，果实近球形，直径在2～3厘米，它属于多肉质，种子有1～3颗。种子大多为长椭圆形，顶端是圆形，基部则急尖，种脐在背面的中部，呈带形。”

小神农一口气说完后，偷偷看向朱有德，只见朱有德脸上略带笑意。于是，悄悄地长舒了一口气。

“继续啊！你还没说它的药性及功效。”朱有德却在一边催促起来。

“这扁担藤性温，味辛、涩，其功效主要在于治疗风湿骨痛、腰肌劳损、跌打损伤、半身不遂。”小神农说。

朱有德终于露出了满意的笑容。

“师傅，我过关了吧？”小神农笑着问。

“走吧，我们继续上路，师傅还要教你认识新的草药呢！”

小神农跟着师傅，一蹦一跳地向山上走去。

三加皮 ——祛风利湿的苦刺头

因为昨天下过雨，地上积存了许多小水洼，小神农一个不留神便踩了进去，溅了满腿的泥。小神农刚想扯点树叶擦泥巴，就发现自己头顶上的树叶有些不一样。

“师傅，师傅，您看这是什么？”小神农叫住正在向前走的朱有德。

朱有德循声走过来，看了一眼，说：“三加皮！”

“哦？三加皮？这名字有点怪！师傅，这到底是什么？是草药吗？还是普通的树？”小神农一连提了好几个问题。

“这三加皮别名有许多，如刺三甲、风党笋、苦粉笋、刺三加、苦刺头、三甲皮、鸡脚菜、刺五爪、三叶五加、香藤刺、三五加、鹅掌笋等。”朱有德摘下一串三加皮给小神农，“它性凉，味苦、辛，

但可清热，可利湿，所以，是味中药材。”

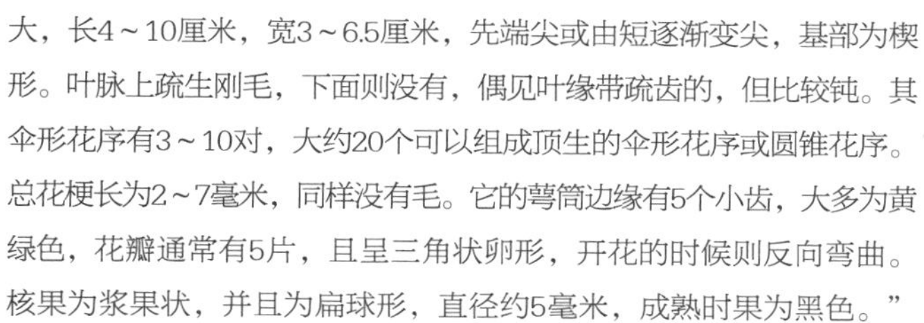

“那我可要好好了解一下它的特征，师傅您快给我仔细讲讲。”小神农着急地说着。

“三加皮的叶子是互生的，小叶有3片。叶柄长2～6厘米，有些有刺，有些无刺。叶片多为椭圆状卵形，少部分倒卵形，中间的一片最大，长4～10厘米，宽3～6.5厘米，先端尖或由短逐渐变尖，基部为楔形。叶脉上疏生刚毛，下面则没有，偶见叶缘带疏齿的，但比较钝。其伞形花序有3～10对，大约20个可以组成顶生的伞形花序或圆锥花序。总花梗长为2～7毫米，同样没有毛。它的萼筒边缘有5个小齿，大多为黄绿色，花瓣通常有5片，且呈三角状卵形，开花的时候则反向弯曲。核果为浆果状，并且为扁球形，直径约5毫米，成熟时果为黑色。”

“可是师傅，这三加皮到底可以用来干什么呢？”小神农看着手里的三加皮说道。

“三加皮是味绝好的中药，它主要用于清热解毒、祛风利湿、活血舒筋，对于发热、咽痛、头痛、咳嗽胸痛、胃脘疼痛、泄泻、痢疾、胁痛、黄疸、石淋、带下、风湿痹痛、腰腿酸痛、筋骨拘挛麻木、跌打骨折、痄腮、乳痈、疮疡肿毒、蛇虫咬伤等症都有治疗功效。”

“想不到这东西虽小，却有这么多好处，我可要好好记住这味药材！”说罢，小神农将手里的三加皮放入药筐中，又顺手采了几株。

“你走路都不看路的吗？腿上怎么这么脏？”朱有德看了眼小神农腿上的泥，又唠叨起来。

“嘿嘿！”小神农不好意思地挠了挠头，“没注意，就踩进水洼里了。”

朱有德拍了小神农的后脑勺一下：“走路的时候要看路！不要一边走一边玩！”

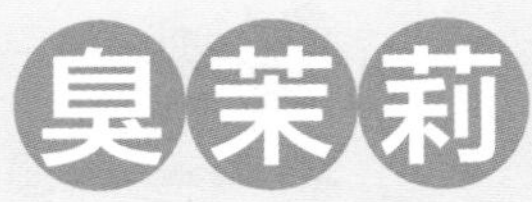

——没有臭味的除湿之花

走着走着，小神农与朱有德又来到了之前休息过的小溪旁。朱有德提议在此休息片刻，并顺便让小神农清洗一下鞋子和腿。小神农一边用清水冲洗腿部，一边四处乱看。

“上次我还在这里见到猫眼草了，这次怎么就没了？”小神农自言自语地说道。

朱有德并不理会，只闭着眼睛养神。突然，“啊”地一声尖叫，朱有德被吓了一跳，立刻站起来：“小神农，怎么了？”

“师傅，师傅，您看这小花，多好看呀！”朱有德向小神农所指的方向看过去。

“那是臭茉莉，也值得你大惊小怪？”朱有德摇摇头，无可奈何地笑了。

小神农听完，迅速地把将要触碰到花朵的手缩了回来。

“臭茉莉？又是臭的呀？”小神农小心地凑近花朵闻了闻，“咦？完全没有臭味啊！”

不死心的小神农依旧想摘取臭茉莉，可是他又犹豫了。小神农想起上次摸土荆芥的经历，不禁打了一个寒战。

朱有德看出了小神农的心思，说道：“没事的，这臭茉莉不会散发臭味，哪怕揉搓也不会散发臭气。”

小神农这下放心了，一边高兴地采摘臭茉莉，一边问道：“师傅，这臭茉莉也是草药吗？”

“臭茉莉是茉莉的一种，它被毛较密，伞房状聚伞花序较为密集，同时开出的花较多，苞片也较多，花大多为单瓣，花的形状较大，花萼裂片呈披针形，长1～1.6厘米，花冠呈白色或淡红色，裂片为椭圆形，长约1厘米。结球状核果，直径8～10毫米，成熟时变为蓝黑色。”朱有德说道。

“第一次听说花也可以成为药材！”

“这可没什么奇怪的，入药的花很多，不过，臭茉莉性平，味苦，用来利湿很不错。”

“那是用花和叶子入药吗？治疗什么病呢？”小神农追问。

“是的，臭茉莉的根、叶、花都可以入药，功效很大，可祛风除湿、活血消肿、杀虫止痒，对治疗痹症、脚气水肿、带下、痔疮、脱肛、痒疹、疥疮、慢性骨髓炎等症都有很不错的效果。”朱有德回答。

“看来这臭茉莉也是治疗风湿病的好药材！”小神农总结着。

“说得没错！”朱有德眯着眼睛笑了。

穿山龙——舒筋活血之良药

小神农与朱有德休息片刻后，便继续向山里走去。

“小神农，复习一下穿山龙的知识吧，还记得吗？”朱有德边走边对认真爬山的小神农说。

“是！”小神农平静地回答道，“穿山龙为多年生缠绕草本，根茎全部横向生长，呈木质圆柱形，分枝较多，栓皮层剥离明显。茎向左旋，呈圆柱形，无毛。叶子为单叶互生，呈掌状心形。不过，它茎部低处的叶子边缘有大小不等的三角状浅裂、中裂、深裂，先端叶片则几乎全缘。叶子的表面为黄绿色，并且富有光泽，大部分无

毛，只有少部分有稀疏的白色细柔毛，尤其以叶脉的地方较密集。花为单性，雌雄异株。它的雄花序腋生，呈穗状，花序基部常由2～4朵小花集成小型伞状，花序的顶端通常为单花。苞片为披针形，先端逐渐变尖，但短于花被。花被呈碟形，有6裂，裂片的先端为钝圆状。雌花序穗状，同样为单生。”小神农停顿了一下，挠了挠头。

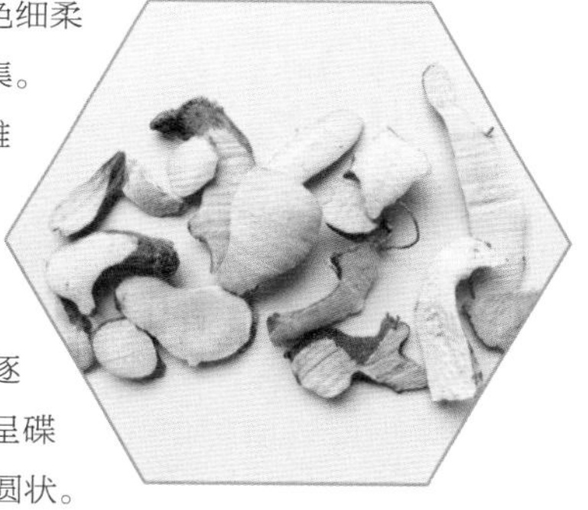

“继续，后面还有呢，你不会都忘了吧？”朱有德在一边催促着。

“蒴果……蒴果……蒴果成熟后为枯黄色，呈三棱形，先端有凹陷，基部为近圆形，每条棱呈翅状，但大小不一，种子生于中轴基部，上方呈长方形，宽则为长的一半。”话毕，小神农悄悄地叹了口气，心想以后一定要好好复习师傅教的知识，不然就要在师傅面前丢脸了。

“那么它的药性及功效呢？”朱有德并不看小神农，又问道。

“穿山龙性平，味苦，可舒筋活血、止咳化痰、祛风止痛。可用于治疗腰腿疼痛、风湿痛、风湿关节痛、筋骨麻木、大骨节病、跌打损伤、闪腰、咳嗽喘息、气管炎、支气管炎等症。”小神农看不出师傅脸上的表情，便心虚地问，“师傅，我说得还对吧？”

“虽然没有错，但明显还不熟练。今天下山以后，再将穿山龙的知识好好复习一番。”朱有德以命令的语气说道。

“是！徒儿知道了。”小神农吐了吐舌头，继续向前走去。

文冠果——除湿止痛的“果子”

正午时分，小神农与朱有德寻了处干净的地方吃午饭。

“师傅，您看那里居然有野果子。”话还没说完，小神农便向长有野果子的树跑了过去。

“师傅您看，这能不能吃？”小神农手里拿了几颗刚采摘来的果子，兴奋地问朱有德。

“这是文冠果，是一种中药。”朱有德边吃饼子边说。

“这也是中药？”小神农惊讶地问。

“文冠果属于落叶灌木，高2～5米。小枝略显粗壮，呈褐红色，其上无毛，顶芽和侧芽上长有覆瓦状排列的芽。”朱有德指一指远处那棵文冠果树，继续说道，“它的小叶为4～8对，通常为膜质，偶有纸质，形状分为披针形、近卵形两种，但两侧稍不对称，顶端逐渐变尖，基部为楔形，边缘长有锐利的锯齿，顶生的小叶通常具有3个深裂，腹面为深绿色，大多无毛但有些中脉上有疏毛，背面为鲜绿色，嫩时有被茸毛和成束的星状毛。侧脉比较纤细，两面略微凸起。”朱有德拿过小神农手里的文冠果，继续说，“它的花序为顶生，雄花序为腋生，直立挺拔，总花梗较短，基部常有残存的芽鳞。苞片长为0.5～1厘米，萼片长6～7毫米，两面有被灰色茸毛。花瓣呈白色，基部大多为紫红色或黄色，脉纹清晰可见，蒴果长6厘米左右，种子最长能达到1.8厘米，黑色并且具有光泽。”

“我明白了！那这文冠果也是治疗风湿的草药吗？”小神农仔细端详手里的文冠果。

“正是！文冠果性平，味甘、微苦，归肝经。它的主要功能是祛风除湿、消肿止痛。所以，用它主治风湿热痹、筋骨疼痛最好了。”

“真是幸运，我又新认识了一种草药，我太开心了！”小神农说罢，便连忙将文冠果小心翼翼地放入自己的药筐里，好似宝贝一般。

草石蚕——治疗虚劳咳嗽的“肉虫子”

“师傅您看，我们又来到了这个山谷。”小神农一上山就喊道。

“是啊！”朱有德一边观察四周，一边点头，“与上次来时又不一样了。”

虽然还是同样的山谷，可是今时却不同往日。曾经大片大片的鲜花开满了整个山谷，而如今却已凋谢了大半。花无百日红，小神农是知道这个道理的。所以，他像个小大人一样地说：“当然呀，现在是秋天了呀。”

“小神农，快过来！”朱有德走在前面，高兴地呼唤小神农。

小神农一溜烟地跑了过来。

"快看，你认识这种植物吗？"朱有德指着地上紫色的花说道。

"哇！原来是朝天罐！上次我就是在这里见到朝天罐的！"小神农说。

"我的傻徒儿！这可不是朝天罐，它叫草石蚕！"朱有德无奈地耸耸肩，看来自己对徒弟期望太高了些。

"草石蚕？是什么？是不是像紫藤一样可以做紫藤糕吃？"

朱有德弹了小神农的脑门一下，说道："就知道吃！这草石蚕性平，味甘，归肝、肺、脾经，最能清热、解毒，是上好的祛风药。它主治风热感冒、虚劳咳嗽、黄疸、淋证、疮毒肿痛、毒蛇咬伤，非常有效。不过你说的也没有错，它确实可以用来熬汤、蒸食。"

"这么神奇呀，师傅，快给我仔细讲讲它的特征吧。"小神农猴急地蹲在草石蚕边。

"草石蚕为多年生草本植物，根状茎匍匐，其上长满密集的须根，它的顶端则有类似球状的肥大块茎，并长有横向的小根状茎。茎高在30～120米，在它的棱及节上都有硬毛存在。叶为对生，呈卵形、长椭圆状卵形，先端微微锐尖或逐渐变尖，基部为平截或浅心形，边缘生有规则的圆齿状锯齿，两面则被有贴生短硬毛。轮伞花序通常为6个，但大多数远离并排列成假穗状花序。花萼为狭钟状，连齿长约9毫米，有10脉，齿5个，全部为三角形，并且具有刺尖头。花冠为粉红色、紫红色，长约1.2厘米。小坚果为卵球形，并且为黑褐色，具有小瘤。"不等小神农提问，朱有德便径自说道。

"原来这就是草石蚕，我记住了！"小神农边说边采摘了一部分草石蚕放进自己的药筐里。

二人随后便向山顶走去，并未在此处过多停留。由于今天还算颇有收获，小神农的心情不免欢快起来。

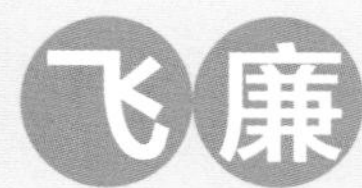

——利湿清热的紫色花朵

“师傅，你看，这花漂亮吗？”小神农从远处山坡上跑到朱有德身边，手里拿着一束紫色的花。

“呦，飞廉你都认识了！”朱有德回过头来，一看便笑了。

“飞廉？什么飞廉？”小神农一头雾水。

“就是你手上拿的植物！”朱有德轻声说道。

小神农看了看手里的花，说：“师傅您说的是这个啊！我不知道它叫飞廉，我就是看它挺好看的，就顺手摘下来了。”

“这东西叫飞廉，《唐本草》中是这样记录的：‘飞廉有两种，一是陶证，生平泽中者；其生山岗上者，叶颇相似，而无疏缺，且多

毛，茎亦无羽，根直下，更无旁枝，生则肉白皮黑，中有黑脉，日干则黑如玄参，用茎、叶及根，疗疳蚀杀虫，与平泽者俱有验。今俗以马蓟、苦芙为漏卢，并非是也。'"

"就是说它是一种中药？"小神农试探地问。

"对，飞廉性平，味微苦，入肺、膀胱、肝三经，最善散瘀止血、清热利湿。《中草药手册》中说它：'祛风，利湿，清热，消肿。治乳糜尿，尿血，尿路感染，流感，白带过多，月经过多；外用治疗疮肿毒，痔疮肿痛。'"朱有德回答道。

"哦，也就是说飞廉也是祛风湿的草药之一。"小神农重复着，"师傅，您介绍一下它的特征吧，我感觉挺难总结的。"

"嗯，飞廉是两年生或多年生草本，高30～100厘米。茎主要为

单生或少数茎成簇生，通常分枝较多，并且细长，只有极少数不分枝。全部茎枝都具有条棱，其上被有稀疏的蛛丝毛和多细长节毛。中下部茎叶为长卵圆形或披针形，长10～40厘米，宽3～10厘米，大多为羽状半裂或深裂，有侧裂片5～7对，并呈斜三角形或三角状卵形，边缘具有较短的针刺。向上的茎叶逐渐变小，顶端及边缘有相同的针刺，但通常短于中下部茎叶裂片边缘及顶端的针刺。全部的茎叶两面同色。”朱有德边说边拿出水壶喝了口水。

“茎翼连续在一起，其边缘生长有大小不等的三角形刺齿裂，齿顶和齿缘有黄白色以及褐色两种颜色不同的针刺。接头状花序下部的茎翼大多为针刺状，而头状花序并不直立，通常下垂或下倾。总苞为钟状或宽钟状，总苞直径为4～7厘米。总苞片层数较多，但不等长，呈覆瓦状排列，并向内层逐渐增长，最外一层呈长三角形。中层及内层大多是三角状披针形、长椭圆形、椭圆状披针形，长1.5～2厘米，宽约为5毫米。最内层苞片为宽线形或线状披针形。全部苞片无毛或有被稀疏蛛丝状毛。”朱有德看小神农听得一脸认真，于是继续说。

“你看它的花为紫色。瘦果呈灰黄色，大多为楔形，稍压扁，长3.5毫米，下部逐渐变窄；基底着生面并不是直线，稍稍偏斜；而顶端为斜截形，并且有果缘，果缘具有全缘，但无锯齿。冠毛是白色，多层，但却不等长。你都记住了吗？”

“这下我就明白了，师傅放心吧！”小神农拍了拍自己的胸脯，自信地笑了。

——散瘀止痛的鲜花

朱有德与小神农走到了山顶，小神农闭着眼睛感受迎面拂来的清风，睁开眼时，不禁被眼前的风景所震撼：大片的花朵开满了半个山坡，鲜艳的花朵不时随风摇曳，好似舞蹈。还未等朱有德缓过神来，小神农早已跑到漫山的花丛中。

“师傅，您说这都是什么花啊？可真美！”小神农不停地称赞着。

“这是杜鹃！”朱有德说道。

“师傅您看，这几株花跟其他花不一样。”小神农说道。

朱有德走近一看，说：“这是落新妇。”

“落新妇？这名字有意思！师傅，这是草药吗？”小神农追问。

“是的！它的根状茎可作为药材，其性温，味辛、苦，能够散瘀止痛，祛风除湿，清热止咳。”朱有德采摘了几株放进药筐里。

“师傅，您再多给我讲讲这落新妇吧！”小神农心情好，所以也格外好学。

“落新妇为多年生草本植物，高50～100厘米。根状茎呈暗褐色，粗壮且有很多须根。茎上无毛。基生叶为2～3回三出羽状复叶，它顶生的小叶片为菱状椭圆形，侧生小叶片为卵形或椭圆形，先端由短至尖或逐渐变尖，边缘有重锯齿，基部分为楔形、浅心形、圆形3种形状。圆锥花序通常与花序轴成15～30度角斜向上生长，花序轴上密被褐色卷曲长柔毛。苞片呈卵形，几乎没有花梗。花生长密集。萼片5个，全部为

卵形，两面无毛。花瓣5个，大多为淡紫色、紫红色，单脉。蒴果长约3毫米，其种子为褐色，长约1.5毫米。”朱有德认真地为小神农解释道。

“虽然这落新妇与杜鹃长得不一样，但仔细分辨，落新妇之美却也不输杜鹃呀。”小神农似乎很喜欢落新妇的花朵。

“说的不错，但你知道它可以治疗什么病症吗？”朱有德问道。

“您不是说它可以止痛、散瘀、清热除湿吗？那当然是治疗风热感冒、头身疼痛、咳嗽最好了呀。”小神农举一反三，很快说出了落新妇的功效。

“嗯，很不错。不过，你要记住，它也可治疗风湿之症。”朱有德说着笑了起来。

杜鹃——活血化瘀的"映山红"

"师傅，这杜鹃真美！"刚赞美完落新妇的小神农，现在又将视线转移到大片的杜鹃上了。

"杜鹃又名山石榴、映山红。相传，杜鹃鸟日夜哀鸣而咯血，染红遍山的花朵，它因此而得名。"朱有德解释道。

"师傅，这杜鹃也可以入药吗？"小神农试探性地问道。

"是的！"朱有德肯定地回答，"杜鹃的根性温和，并有酸、甘之味，它能够活血化瘀、止痛、祛风，可用于治疗吐血、衄血、月经不调、风湿痛、跌打损伤。杜鹃的叶性平，尝之有酸味，它能够清热解毒、止血，可用于治疗痈肿疔疮、外伤出血。杜鹃花性温和，并有酸、甘之味，能够活血、调经、祛风湿，可用于治疗月经不调、经闭、跌打损伤、风湿痛、吐血。"

"想不到这杜鹃花不但长得美，用途也不小！"小神农望向那一片杜鹃花。

"师傅，辨认杜鹃要看哪些外形特征呢？"小神农继续问道。

"杜鹃属于落叶灌木，高2～5米。它具有很多纤细的分枝，其上密被亮棕褐色扁平糙伏毛。叶为革质，通常集生于枝端，叶子的形状通常有卵形、椭圆状卵形、倒卵形或倒披针形；长1.5～5厘米，宽0.5～3厘米，先端由短逐渐变尖，基部为楔形或宽楔形，边缘略微反卷，并且具有细齿；上面为深绿色且有疏被糙伏毛，下面为淡白色且有密被褐色糙伏毛，中脉叶上凹陷，下面较为凸出。"朱有德摘下一朵花给小神农看。

"你看这花芽为卵球形，边缘具有睫毛。花通常以2～6朵簇生于枝顶。花梗长8毫米左右，密被亮棕褐色糙伏毛。花萼具有5深裂，裂片大多呈三角状长卵形，长5毫米左右，被糙伏毛，边缘同样具睫毛。杜鹃花的花冠呈阔漏斗形，通常有玫瑰色、鲜红色或暗红色3种，长3.5～4厘米，宽1.5～2厘米。蒴果为卵球形，最长可达1厘米，密被糙伏毛。”

“师傅，我可以将杜鹃种在后院里吗？”小神农小心翼翼地问道。

朱有德笑了笑：“当然可以啊！”

小神农细心地将地上的几株杜鹃花连根拔出，并轻轻放入药筐里。

鸡屎藤——药效颇多的“小鲜花”

眼看天色不早了，朱有德与小神农开始向山下走去。所谓人有三急，小神农找了处隐蔽的地方解决问题，回来后，便看到朱有德手中握着一小束白掺紫的小花。

“师傅，您手里拿的是什么花？”小神农知道，师傅从来不拿无用之物。

“这是鸡屎藤！”朱有德回答。

“鸡屎藤？它和我在药堂看到的可不一样！”小神农疑惑地瞪大了双眼，“师傅您肯定是在考验我，我不会上当的！这肯定不是鸡屎藤！”

“傻孩子！你所见到的是炮制过的鸡屎藤，而这才是最原生态的鸡屎藤！”朱有德无奈地笑出了声，接着问道，“还记不记得鸡屎藤的功效？”

“记得吧！”小神农明显犹豫了。因为刚才的差错，使小神农不确定他所记的是否正确。

“说来听听！”朱有德饶有兴致地说。

“鸡屎藤性温，味苦，归肝、肾经，最能补血、活血、通络。《生草药性备要》中说它：‘其头治新内伤，煲肉食，补虚益肾，除火补血；洗疮止痛，消热散毒。其叶擂米加糖食，止痢。’所以这鸡屎藤主要用于风湿筋骨痛、跌打损伤、外伤性疼痛、腹泻、痢疾、消化不良、小儿疳积、肺痨咯血、肝胆、胃肠绞痛、黄疸型肝炎、支气管炎。”

“不错！”朱有德称赞道。

“师傅，您现在可以给我讲讲鸡屎藤的原生态特征吗？我可不想只认识它炮制过后的样子。”小神农调皮地说。

“这还不简单。鸡屎藤为多年生草质藤本植物，其茎通常呈扁圆柱形，但形态有些扭曲，大多无毛或近无毛。老茎为灰棕色，直径3～12毫米，栓皮则经常脱落，可以看见其上长有纵皱纹及叶柄断痕，易折断，断面则较为平坦，并且呈灰黄色。嫩茎为黑褐色，直径1～3毫米，质地坚韧，所以不易折断，它的断面具有纤维性，大多为灰白色或浅绿色。叶为对生，可大多皱缩或破碎，因此并不完整，但幸存的完整者展平后则呈宽卵形或披针形，先端很尖，基部为楔形、圆形、浅心形，具有绿褐色的全缘。叶柄分为无毛与有毛两种。聚伞花序顶生或腋生，前者叶子较多，而后者疏散的花较少，花序轴及花均被疏柔毛，花呈淡紫色。”朱有德很仔细地讲解着。

原来这就是鸡屎藤天然的模样呀，小神农在心里暗暗想道：这下我可要记住了，以后再看到它就不会出丑了。

乌头——散寒止痛之药

走到山脚下，师徒二人遇到了同样刚从山上下来的王二婶与她的孙子子恒。双方打了个招呼，便擦肩而过。不过，小神农眼尖，早看到了子恒手中的植物，开着很漂亮的花。他便问朱有德：“师傅，刚刚子恒手里拿的是什么？”

“啊，那个是乌头。”朱有德回忆了一下说道。

“乌头？这么好看的花居然叫乌头？真是有点可惜！”小神农不禁感慨道。

“师傅，师傅！”小神农露出了一抹狡猾的笑容。

朱有德心领神会，知道小神农又要问乌头的特征了，便笑

着说："乌头为毛茛科植物，它的母根叫乌头。它与其他植物不同的是，茎下部的叶子在开花时便枯萎。"朱有德看了看小神农，接着说："茎中部的叶子有长柄，叶片为薄革质或纸质，呈五角形，基部为浅心形并呈三裂，中央则为全裂片宽菱形，有时呈倒卵状菱形或菱形，大多为急尖，但有时也为短渐尖近羽状分裂。它有二回裂片2对左右，呈斜三角形，其上生有1～3枚牙齿，大部分具有全缘。顶生总状花序长6～10厘米，下部苞片3裂，其他呈狭卵形或披针形。花梗长1.5～3厘米，小苞片通常生于花梗中部或下部，萼片呈蓝紫色，外面被短柔毛，上萼片大多为高盔形，下缘有些凹陷，具有不明显的喙，侧萼片长1.5～2厘米。花瓣上无毛，花瓣长约1.1厘米，唇长约6毫米，能看到其凹陷部，通常呈拳卷状。种子长3～3.2毫米，呈三棱形。"

"师傅，您可真厉害，什么都知道。"小神农嘿嘿地笑了起来。

"师傅还知道乌头是散寒止痛之药，其性热，味辛，既可祛经络之寒，又可散脏腑之寒。但是乌头有大毒，所以用之要谨慎。乌头常用于治疗风湿、类风湿关节炎等疾病。"朱有德补充道。

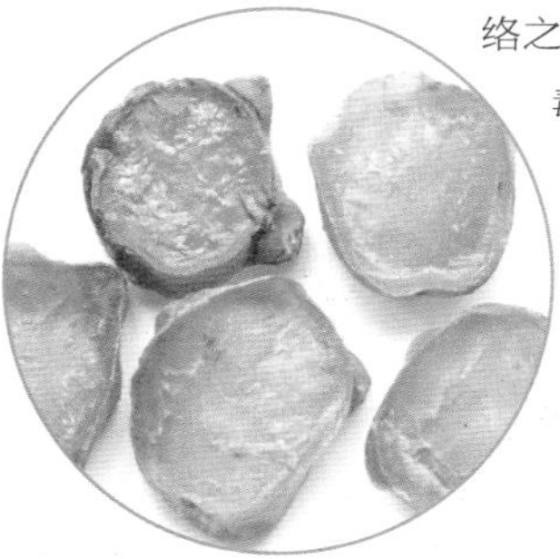

"这乌头也是有毒性的，使用的时候一定要加倍小心！"小神农像是在重复朱有德说过的话，又像是在自言自语。

——治疗风湿痹痛的“生姜”

下山后，朱有德没有按照以前的道路回家，而是拐进了一条小路，小神农虽然心存疑惑，却并没有询问原因。

“我们去给英英的奶奶送些草药！”朱有德先开口说道。

“好！”小神农跟在师傅身后，愉快地答应着。

不过，从英英家出来之后，小神农却放慢了脚步，因为他一直在想刚刚在英英家的院子里看到的植物。最后，他实在想不出那是什么，便追着师傅问：“师傅，您知道英英家院子里种的植物是什么吗？”

“哦，那个啊，是茅苍术！”

“茅苍术？茅苍术我太熟悉了，它长得好像生姜一样，我怎么连它的植物特征也不知道呢？真是笨呀！”小神农不自觉地拍了脑门一下得，接着问道，“师傅，您能教教我茅苍术的识别方法吗？”

“茅苍术为多年生草本植物，高30～60厘米。大多数茎直立挺拔，但有的茎上则有少部分分枝。叶为互生，革质，通常有卵状披针形、椭圆形两种形状，边缘具有刺状齿；上半部分叶子较多但不裂，而且无柄，下半部的叶常分3裂，分为有柄、无柄两种。头状花序为顶生，下有一轮羽裂叶状总苞。总苞为圆柱形，苞片有6～8层。花分为两性与单性，异株较多，两性花则长有羽状长冠毛，花冠通常为白色，呈细长管状。”朱有德详细地说道。

“哦，这下我就知道了。”小神农笑着说，“以后再看到它，我就可以认出是茅苍术了。”

“那你知道茅苍术的药性与功效吗？”朱有德故意问。

“这可难不住我！别看这茅苍术不怎么起眼，它的功效却不少。

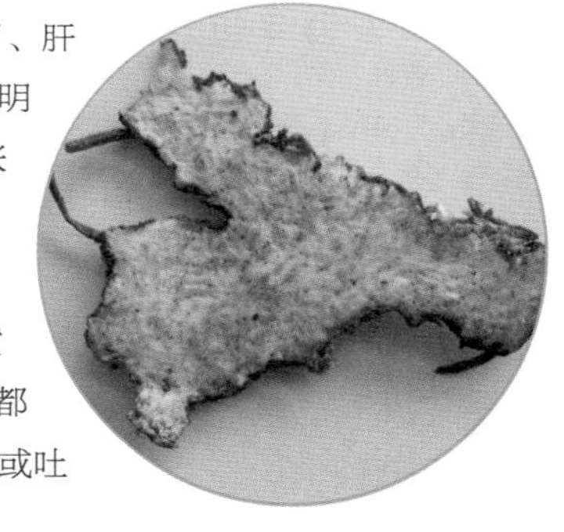

它性温，味甘、辛、苦，归脾、胃、肝经，最能燥湿健脾、祛风散寒、明目。所以，主要用于治疗脘腹胀满、泄泻、水肿、风湿痹痛、风寒感冒、脾胃不和、泄泻、湿热证、湿痹、暑温、痢疾、时行外感、黄白带下等症状。但并不是所有人都可以服用茅苍术，体内阴虚火旺，或吐血、衄血、气虚多汗者忌用。”

朱有德在一边听着，不由频频点头，说：“我们小神农真厉害，居然已经知道这么多了。”

小神农听完，却不好意思地笑了，说：“师傅，您才是真厉害呢，什么都难不倒您。可我就不一样了，今天学完明天就忘了一大半，有时候还会记错药性与特征，我真是不中用。”

朱有德拍了拍小神农的背，安慰他说：“一次记不住就记两次，两次不行就三次。今天记不住，明天继续记，你还小，但你的努力程度并不低于为师啊！”

听了朱有德的一番话，小神农焦躁的心情平复了许多。

——消肿止痛的“苦菜”

“臭牡丹啊臭牡丹！你怎么可以这么臭！”小神农一边给师傅种的臭牡丹浇水，一边抱怨道。

“苦菜？师傅什么时候还种了苦菜？”小神农忽然看到臭牡丹旁边的苦菜，想也没想便将这株植物连根拔起！

“师傅，师傅，今天咱们可以吃苦菜了！”小神农兴奋地喊道。

朱有德从屋里探出头来，一脸疑惑地看着小神农：“什么苦菜？”

小神农将刚采摘的东西拿给朱有德看，只见朱有德顿时脸色一变：“你个小兔崽子！这哪里是苦菜了？这是兔儿伞！这可是中药啊！”说罢，朱有德一个箭步冲出了房门。

“兔儿伞？”小神农默默重复着。

朱有德来到小神农面前说道："兔儿伞是多年生草本，高70～120厘米。根状茎匍匐。茎直立挺拔，并且无毛，颜色略为棕褐色。它有一枚根生叶，幼时呈伞形，并且叶子下垂。茎生叶为互生，叶柄长2～16厘米。叶片呈圆盾形，裂片为复作羽状分裂，其边缘有不规则的锐齿存在，但无毛，两面呈不一样的颜色，上面为绿色，下面为灰白色。下部叶直径20～30厘米，叶柄长10～16厘米。上部叶子较小，直径12～24厘米，叶柄长2～6厘米。头状花序为多数，它们密集生成复伞房状，顶生，其基部有条形苞片。总苞片只有1层，但无毛，呈长椭圆形，先端为钝状，边缘呈膜质，长9～12毫米。总苞为圆筒状。花为两性，通常有8～11朵，花冠呈管状，长约1厘米，先端分为5裂，着生于花冠管上。瘦果为圆柱形，长5～6毫米，有纵向条纹，它的冠毛分为灰白色和淡红褐色两种。"

"师傅，我刚才太冲动了，都没仔细看就给您把中药拔出来了。"小神农一脸的不好意思。

"没事没事，不要紧的！能让你认识这味中药，也算歪打正着了。"朱有德安慰着小神农。

"师傅，这兔儿伞的药性和功效是什么呀？"小神农马上问。

"兔儿伞味辛、苦，性温，《陕西中草药》说它可'祛风除湿，消肿止痛。治风湿麻木，风湿性关节炎，腰腿痛，骨折，月经不调、痛经'，《浙江民间常用草药》也有记载，它能'消肿解毒，治颈部淋巴结炎，毒蛇咬伤'。"

"所以，这兔儿伞也是治疗风湿的草药之一！"小神农说道。

"正是如此！"朱有德肯定道。

——祛湿的“藤条”

一早起来，朱有德便看到小神农在院子里溜达，嘴里还在念念有词。朱有德轻轻关上房门，随即坐在了门外的木头凳子上，略带笑意地观察起来。

“徐长卿为多年生直立草本，高约1米。根为须状，通常能达到50余条。茎从不分枝，大多无毛或被微毛。叶为对生，纸质，一般为披针形、线形，长5～13厘米，宽5～15毫米，两端非常尖，叶子两面一般无毛，但有些叶面具疏柔毛，且叶缘有边毛。侧脉不太容易被发现。叶柄长约3毫米，圆锥状聚伞花序生长在顶端的叶腋内，最长能达7厘米，其上的花有10余朵。花冠颜色为黄绿色，类似于辐

状，裂片长达4毫米，宽3毫米左右。副花冠有5裂片，基部逐渐增厚，顶端为钝状。花粉块每室都有1个，并且下垂。蓇葖为单生，呈披针形，长6厘米左右，直径6毫米左右，向前端部逐渐变尖。种子为长圆形，长3毫米左右，种毛为白色绢质。”小神农认真地回忆着以前的知识，所以并未发现师傅的存在，“《生草药性备要》曰：‘浸酒，除风湿’……”

“《简易草药》曰：‘治跌打损伤，筋骨疼痛。’所以，这徐长卿主要用于治疗风湿痹痛、腰痛、跌打损伤疼痛、脘腹痛、牙痛等各种痛症。”朱有德见小神农对徐长卿的药性还有些生疏，便接着他的话念出来。

“师傅！”小神农被师傅的突然出现吓了一跳，“您怎么都不出个声啊？吓我一跳！”小神农抚摸了一下自己心脏的位置。

“我看你在认真复习，便没有打扰你！”朱有德笑着说，“很不错，你现在已经知道徐长卿的特征了？”

小神农用力地点了点头。

“那么徐长卿入药时的形态是怎样的？”朱有德有意要考考小神农。

“首先它的表面呈淡黄白色、淡棕黄色或棕色，其上具有微细的纵向皱纹，并带有纤细的须根。质地清脆，所以容易被折断，断面呈粉性，皮部内为白色或黄白色，同时形成层环淡棕色。它的气味略香，食之微微辛凉。”

朱有德微微笑道：“不错，不错！掌握得很扎实！继续努力吧，小家伙！”

——全株可入药的“白花”

小神农刚去邻居家送药了，回来的路上，他只顾着往前走，不想背后突然冒出一个声音，吓了他一跳。只听那人说：“怎么又是你这个讨厌鬼？”

“原来是你啊！”小神农马上回头看去，竟是王二婶的孙子子恒，“你干嘛跟踪我？”

“跟踪你？真是笑掉大牙了！”子恒不屑地说道。

“手里拿的什么？”小神农看到子恒手里拿了一些水果以及一小捧花。

“不认识！就是认识也不告诉你！”子恒没好气地说。

“不就是接骨木么！有什么了不起的！”小神农说罢便向前走去。

“你认识它？”子恒拉住小神农的衣袖。

“切！我不仅认识，还很熟悉呢！”小神农轻轻打了一下子恒的手。

“告诉告诉我呗！我知道你人最好了，小神农哥哥！”子恒用祈求的眼神看向小神农。

“好啦，好啦，那就告诉你吧。”小神农可真受不了子恒撒娇的语气，对他说，“这接骨木属于落叶灌木或小乔木，高5～6米。稍老的枝干为淡红褐色，你看，它的上面有清晰的长椭圆形皮孔，髓部则为淡褐色。叶子为羽状复叶，并有小叶2～3对，少时仅1对，但多时可达5对。侧生的小叶片呈卵圆形、狭椭圆形、倒矩圆状披针形，长5～15厘米，宽1.2～7厘米；顶端逐渐变尖，边缘有不整齐的锯齿，基部为楔形或圆形，少数时候则呈心形，两侧并不对称；最下一对小叶有时具有0.5厘米长的柄，这顶生的小叶呈卵形或倒卵形，顶端渐尖或尾部渐尖，基部为楔形，并长有约2厘米的柄，叶搓揉后会产生臭气……哎呀，反正说了你也不懂。”小神农一想到那臭味，便有些不耐烦，所以闭上嘴不想说了。

“别呀，你还没说完呢！”子恒追上小神农，拗不过子恒的小神农只得一边走一边讲。

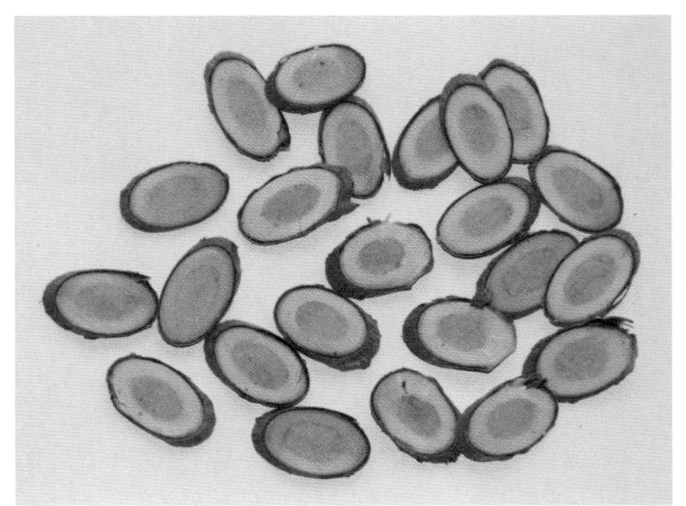

“它的花与叶同时生长，圆锥形聚伞花序顶生，长5～11厘米，宽4～14厘米，花序分枝多成直角并向外开展，但却光滑无毛。花小且密，你看，就跟你手里拿的一样。萼筒为杯状，长约1毫米，萼齿呈三角状披针形。花冠开后呈白色或淡黄色，裂片呈矩圆形或长卵圆形，长约2毫米。果实呈红色，但有些为蓝紫黑色，不过这种情况少之又少，它们通常为卵圆形或近圆形，直径3～5毫米。听明白了吗？”小神农叹了口气说道。

“那它的作用呢？快给我说说。”子恒继续追问。

“我师傅常说，这接骨木是好东西，全株可入药。它的茎枝可以祛风、利湿、活血、止痛，因而可以用于治疗风湿筋骨痛、腰痛、水肿、风疹、产后血晕、跌打肿痛、骨折、创伤出血。根或根皮可用于治疗风湿关节痛、痰饮、水肿、泄泻、黄疸、跌打损伤、烫伤。叶可以活血、行瘀、止痛，因而可以用于治疗跌打骨折、风湿痹痛、筋骨疼痛。当然，花叶也可以入药，用于发汗以及利尿。”小神农认真地向子恒说道。

“我听明白了！谢谢你小神农哥哥！”子恒笑眯眯地说道。

“不客气！你突然这么有礼貌，我还真的有点不习惯了呢！”两人一起大笑了起来。

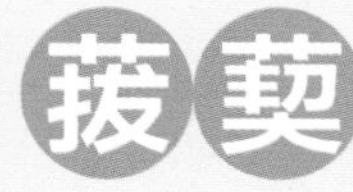

菝葜——解毒消痈的“怪名字”

傍晚，小神农揉着眼睛走出房门，他最近养成了睡午觉的习惯，不过偶尔会睡过头，比如今天。

“师傅，对不起，我睡过头了！”小神农带着浓厚的鼻音说道。

“不要紧的，反正也没什么重要的事情。”

“师傅，您自己出去采草药了吗？”小神农见朱有德手里拿着一些草药。

“嗯，我去整理了一下，采了点菝葜。”朱有德回复道。

“菝葜？这名字好奇怪，起名字的人那个时候一定心情不好！”小神农打趣地说。

“菝葜出自《名医别录》，书中说：‘菝葜，生山野，二月，八月采根，暴干。陶弘景：此有三种，大略根苗并相类，菝葜茎紫短小，多细刺，小减萆薢而色深，人用作饮。《本草图经》则说：‘菝葜，近京及江、浙州郡多有之。苗茎成蔓，长二三尺，有刺。其叶如冬青，乌药叶，又似菱。’”朱有德来到小神农身边，坐下来休息。

“那它到底长什么样呀？”小神农都感觉有些糊涂了。

“菝葜属于攀援灌木，并且具有粗厚、坚硬的根状茎，形状不太规则，粗2～3厘米。茎长1～3米，少数能达到5米。这菝葜叶有薄革质和坚纸质之分，晒干后通常为红褐色或近古铜色，大多为圆形、卵形，但也有其他形状，长3～10厘米，宽1.5～6厘米，下面通常为淡绿色，较少部分为苍白色。菝葜花为伞形花序并生于叶还比较幼嫩的小枝上，通常有十几朵或更多的花，大多为球形。花序托稍膨大，近似球形，具有小苞片，花为绿黄色。菝葜果（也就是浆果）呈艳红色，直径在6～15毫米，成熟时为红色，其上有粉霜覆盖。”朱有德将菝葜的生态特征讲给徒弟听。

“可师傅，这菝葜有什么用呢？”小神农兴致勃勃地问道。

“它的功能颇多，其性平，味甘、酸，可祛风利湿、解毒消痈，用来治疗风湿痹痛、淋浊、泄泻、痢疾、痈肿疮毒、顽癣、烧烫伤、解毒、驱风、利尿及淋病、癌症、消渴症都很不错。”朱有德说道。

“这菝葜的名字虽然起得怪异，可是功效却不少。”小神农一边点头一边说。

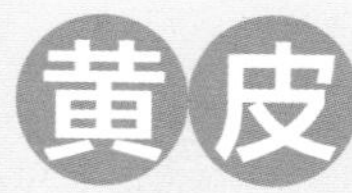

黄皮——解表散热的“果中之宝”

今天，小神农正在房间里温习草药知识，突然听见门外有人叫他：“小神农哥哥，你在吗？”

小神农连忙出门，一看原来是子恒站在门口。

“找我什么事啊？”小神农轻声问道。

“给你好吃的！”只见子恒将一把类似柑橘的东西塞到小神农怀里，并且还趁他不注意的时候，将一颗直接塞到了他的嘴里。小神农被子恒一连串的动作弄迷糊了，还未等他反应过来，子恒早已跑得远远的。

“呸！”小神农的表情十分扭曲，“这什么东西啊？”

“怎么了？”朱有德的声音在身后响起。

“没什么事。刚才子恒送了些果子给我吃，不过味道不太好，他肯定是捉弄我。”小神农如实说道。

朱有德看了看他怀里的东西笑道，“这是黄皮，是一种草药呢！”

“这个子恒！真是越来越敢欺负我了！看我以后怎么收拾他！”小神农嘀咕道。

“那你可冤枉人家了，这确实是能吃的呀。”朱有德看小神农的表情，不禁笑了起来。

“师傅，黄皮到底是什么呀？怎么一会儿能吃，一会是药？”小神农算是彻底迷糊了。

“听我慢慢给你说。黄皮属小乔木，高12米左右。黄皮的叶长有小叶5～11片，小叶

大多为卵形或卵状椭圆形，常向一侧偏斜，长6～14厘米，宽3～6厘米，基部为近圆形或宽楔形，两侧并不对称，边缘呈波浪状或具有浅的圆裂齿，叶面的中脉常被有短细毛。圆锥花序顶生。花蕾为圆球形，有5条纵脊棱并呈凸起状。花萼裂片呈阔卵形，长约1毫米，外面被短柔毛，花瓣为长圆形，长5毫米左右，通常情况下两面被短毛，但有些内面无毛。黄皮的果有许多品种，通常有圆形种、椭圆形种之分，其中有的是酸味，有的是甜味，这通常与早熟、迟熟有关。”朱有德特意为小神农讲解了黄皮的特征。

“这么说，黄皮真的能吃？还可以入药？”小神农还是不太相信。

“是真的，黄皮素来有‘果中之宝’之称。成熟后，可以将果肉、果皮和果核一起吃，连渣带汁全部吞下，味道虽有些苦，但对于降火及治疗消化不良、胃脘饱胀有非常好的效果。另外，黄皮除了直接食用，还可以加工成蜜饯。”

“哇，那这些岂不是可以用来做蜜饯了？”

“还有呢，黄皮果性微温，味苦、酸、辛，有行气、消食、化痰之效，可以治疗食积胀满、脘腹疼痛、疝痛、痰饮咳喘等症状。黄皮果核则有行气止痛、解毒散结之效，可以治疗食滞胃痛、气滞脘腹疼痛、疝痛等症状。黄皮叶有解表散热、行气化痰、利尿、解毒之效，可以治疗温病发热、疟疾、咳嗽痰喘、小便不利、热毒疥癣、蛇虫咬伤。”朱有德补充道。

“虽然这黄皮小小的不起眼，可好处却非常多呢！”于是，小神农不自觉地将黄皮放进嘴里吃了起来，虽然略有些苦涩，可小神农依旧吃得津津有味。

铜锤玉带草——活血祛瘀的良药

今日天气晴朗，碧空万里无云，阳光照到身上，让人不自觉的温暖慵懒。小神农懒洋洋地将脸埋在正晾晒的被子里，深深嗅了一下。

“小神农，快来，吃葡萄了！”朱有德叫道。

小神农一溜烟跑进前堂，看也没看拿起来就吃，可刚放入嘴里，便发觉味道不对。

“师傅，这不是葡萄！这……”小神农仔细看了看盘子里的东西，“这是铜锤玉带草！这根本不是葡萄，师傅您骗我！”小神农假装生气地说。

“为师本想考验考验你，没想到你这么容易就上钩了！”朱有德大笑道。

“我该怎么惩罚你呢？”朱有德假装认真地思忖着，“背一遍铜

锤玉带草的特征给我听！”

“师傅，您想考我就直接说，还用这种小把戏！”小神农噘了噘嘴，“铜锤玉带草属多年生草本，有白色的乳汁。茎平卧，长12～55厘米，被有开展的柔毛，通常不分枝，但有的则在基部生出长或短的分枝，并且节上生根。叶为互生，叶片分为圆卵形、心形、卵形3种形态，长0.8～1.6厘米，宽0.6～1.8厘米，有些先端钝圆，但有些则为急尖，基部为斜心形，边缘有齿，叶脉呈掌状、掌状羽脉。叶柄长2～7毫米，具有开展短柔毛。花单生并叶腋，花梗长0.7～3.5厘米，没有毛。花萼筒呈坛状，长3～4毫米，宽2～3毫米，同样无毛，裂片呈条状披针形，长3～4毫米，每边生2～3枚小齿。花冠呈紫红色、淡紫色、绿色或黄白色，长6～7毫米，果为紫红色的浆果，并呈椭圆状球形，长1～1.3厘米。种子有多数，全部为近圆球状，表面有小凸起。”小神农说完，悄悄看了朱有德一眼。

“继续！”朱有德只淡淡说出两个字。

“铜锤玉带草性平，味辛、苦，除湿、活血功效强，《云南中草药》中说它‘活血祛瘀，除风利湿’，而《广西植物名录》又说‘消炎解毒，补虚，退翳；治虚弱，咳吐浓痰，目翳，乳痈，无名肿毒’。”

朱有德慢慢点了点头，这表示他对小神农的认可。随后，朱有德便揭开旁边的纱幔，几串鲜美的葡萄映入眼帘。

“吃吧！”朱有德笑着说。

“谢谢师傅！”小神农开心地吃了起来。

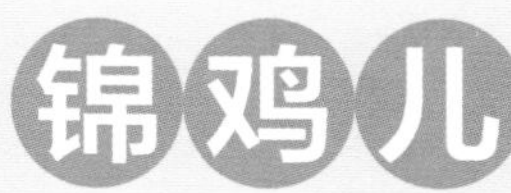

锦鸡儿——治疗耳鸣眼花的“小黄花”

“回来啦？”朱有德一边洗菜一边对刚从门外走进来的小神农说。

“嗯！累死我了！”小神农擦了擦头上的汗水，“子恒非要让我带他去玩，没办法，我就陪他玩了一下午。”

“子恒那孩子还小呢，玩心重也是不可避免的。”

“不过，我顺便采了点锦鸡儿回来。”小神农露出了一个得意的笑容。

“哦？你已经认识锦鸡儿了？”朱有德一副又好奇又满意的表

情，“说来听听，它有什么特征？”

“这锦鸡儿呈托叶三角形，并硬化成针刺，长5～7毫米。有些叶轴脱落，有些则硬化成针刺，针刺长7～15毫米。小叶有2对，呈羽状，有时呈假掌状，厚革质或硬纸质，大多为倒卵形或长圆状倒卵形，长1～3.5厘米，宽5～15毫米；先端呈圆形，有些则微缺，分为具刺尖和无刺尖两种，基部为楔形或宽楔形，上面通常是深绿色，下面通常是淡绿色。花为单生，花梗长约1厘米，中间部分有关节。花萼为钟状，长12～14毫米，宽6～9毫米，基部稍偏斜。花冠为黄色，一般情况下带有红色，长2.8～3厘米，形状为旗瓣狭倒卵形，它具短瓣柄。荚果为圆筒状，长3～3.5厘米，宽5毫米左右。”小神农见师傅听得认真，便得意地问，“怎么样，师傅？我掌握得还可以吧？”

“哈哈哈！不错不错！那药性呢？”朱有德走到灶台边，将饼子放入锅中。

“这个简单，锦鸡儿的根性平，味甘、微辛；它的花朵却是性温，味甘的。”

“那你总要说说它的功效才行吧。”朱有德进一步说。

“《上海常用中草药》中说它：‘活血祛风，止咳，强壮。治头晕头痛、耳鸣眼花、肺虚久咳、小儿疳积。’它的根能够滋补强壮、活血调经、祛风利湿，因此，常用于治疗原发性高血压、头昏头晕、耳鸣眼花、体弱乏力、月经不调、带下、乳汁不足、风湿关节痛、跌打损伤。它的花能够祛风活血、止咳化痰，因此，常用于治疗头晕耳鸣、肺虚咳嗽、小儿消化不良。”

“果然名师出高徒啊！”朱有德得意地说着。

“师傅，您这个老顽童，又开始不正经了！”二人对视后大笑起来。

“吃过晚饭后，今晚早些休息，明日为师带你去另一座山上采摘草药。虽然路途稍远些，但一定会有很大的收获！”朱有德轻声对小神农说。

“好！”小神农简直笑得合不拢嘴！

马桑——治疗腮肿风毒之利药

天还未大亮，师徒俩便上路了。街道上偶尔能看到几个行色匆匆的路人，想必也和他们一样需要赶路吧，小神农这样想着。

“师傅，您给我讲讲草药吧！”现在也只有草药知识能让小神农打起万分精神了。

“好，那就讲讲马桑吧！”朱有德说。

“马桑？难道不应该是马匹的一种？”小神农暗自想。

“马桑属于灌木，高1.5～2.5米，分枝呈水平状开展，小枝呈四棱形或为四狭翅；幼枝疏被微柔毛，但毛在长大后褪去，通常带有紫色；老枝大多为紫褐色，能看到明显的圆形凸起的皮孔。芽鳞为膜质，呈卵形或卵状三角形，长1～2毫米，紫红色偏多并且无毛。叶

为对生，纸质至薄革质，一般情况下为椭圆形或阔椭圆形，长2.5～8厘米，宽1.5～4厘米，先端急尖，基部则为圆形，具有全缘，它有两面无毛或沿脉上疏被毛两种形态，基出3脉，呈弧形并伸至顶端，在叶面上微微凹陷，叶背则为凸起状。总状花序生于二年生的枝条上。苞片和小苞片都呈卵圆形，长约2.5毫米，宽约2毫米，全部为膜质，半透明状，向内凹陷，上部边缘有流苏状的细齿。花瓣极小，并呈卵形，长约0.3毫米，里面呈龙骨状。马桑果为果球形，成熟后便由红色变为紫黑色，直径4～6毫米，其种子呈卵状长圆形。”朱有德细细道来。

“原来这是植物呀。那这马桑能干什么用呢？”小神农追问道。

“马桑性寒，味辛、苦，最善解毒、清热、消肿止痛、杀虫。《草木便方》中说它可‘治风目，痈疽，腮肿风毒，涂四肢麻木不仁’，《分类草药性》中还说它‘治火伤，调香油搽涂’。”朱有德缓缓地说道。

“是用哪一部分入药呢？”小神农嘀咕着。

“这可就要细细地说了，先说这马桑果。马桑果外形似桑椹，味微甜，易被小孩子采食，但此果有毒，应禁食。而马桑叶则能够清热解毒、消肿止痛、杀虫，所以对于治疗痈疽、肿毒、疥癣、烫火伤、痔疮、跌打损伤具有很好的疗效，但因其有毒，所以使用时一定要小心。马桑根也同样可以入药，它能够清热明目、生肌止痛、散瘀消肿，所以，非常适用于治疗风湿痹痛、牙痛、瘰疬、跌打损伤、狂犬咬伤、烧烫伤等症状。”

“果然，学习完草药知识后清醒很多。等到我下次见到马桑，我一定能把它辨认出来！”小神农兴奋地说道。

——化湿行气的中药

不知不觉，二人来到了山脚下，这座山明显比镇子里的那座陡峭很多。朱有德许久没有来过这座山了，所以走起路来也加倍小心。没走几步，朱有德便停了下来。

“认识豆蔻吗？”朱有德问道。

“当然啊！”小神农自知师傅要考验他，于是他不停地四处张望，奇怪，怎么不见豆蔻？

朱有德看小神农一脸疑惑的表情，便指向不远处的植物：“看那里。”

“什么？那是豆蔻？跟我记忆中的完全不一样啊！”小神农一脸疑惑的表情。

“别急，为师讲给你听！”朱有德笑了笑，“豆蔻的茎为丛生，株高3米左右，茎基叶鞘为绿色。叶片全部为卵状披针形，长约60厘米，宽12厘米，顶端尾尖，并且两面光滑无毛。叶舌为圆形，长7～10毫米。穗状花序从距离最近的茎基处的根茎上生长出来，呈圆柱形，但有少部分为圆锥形，长8～11厘米，宽4～5厘米。苞片呈三角形，长3.5～4厘米，茎秆是黄色的，能看到清晰且明显的方格状网纹。小苞片为管状，只有一侧开裂。花萼为管状，白色且微微透着红色，顶端具有三齿，花冠管与花萼几乎一样长，裂片也为白色，呈长椭圆形，长约1厘米，宽约5毫米。”

说着，两人已经走到豆蔻跟前，朱有德指着它的花说：“你来看，它的唇瓣呈椭圆形，长约1.5厘米，宽约1.2厘米，中央是黄色的，内部凹陷，边缘则为黄褐色。蒴果呈近球形，直径约16毫米，大多为白色或淡黄色，顶端及基部都长有黄色的粗毛，果皮呈木质，易开裂并分为三瓣。而种子则为不规则的多面体，直径3～4毫米，呈暗棕色，能闻到芳香味。”

小神农仔细听完朱有德的话，立刻伸手去采摘豆蔻。“下次我肯定不会再认错你了！”小神农暗自嘀咕道。

“你可还记得这豆蔻的药效？”朱有德发问道。

小神农歪着头想了想，说：“记得！豆蔻性温、味辛，归肺、脾、胃经，能够化湿行气，温中止呕，开胃消食。主要用于治疗湿阻气滞、脾胃不和、脘腹胀满、胸闷不饥、胃寒呕吐、食积不消等症。”

“那你可没说完全，豆蔻性温，有很不错的化湿功效，因此，同样也可以治疗风湿类病症呢。”朱有德为小神农补充。

“哦，我记住了，师傅。”

“走吧，我们继续向前走。”朱有德说完又开始向前走去。

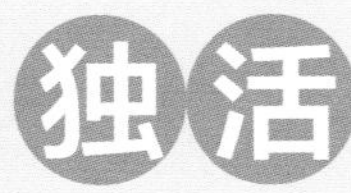

——祛风行湿散寒之药

“师傅，您看，是接骨木，前两天我还采过呢！”小神农指着不远处的一团白色小花说道。

“傻孩子啊，你再好好看看那是不是接骨木！”朱有德简直哭笑不得，“草药的种类有千万，难免有许多长相相近的植物，如果都像你这样辨识，岂不是就只有一种药材了？”

“不是接骨木，那能是什么？”小神农的语气显然有些不满，他觉得自己是对的。

“独活。”朱有德直接将名字说了出来。

“独活？世间还有这等草药？独活……”小神农显然很难接受这么怪异的名字。

“《本草经疏》都看到哪里去了？书中不是说：‘独活，其主风寒所击金疮止痛者，金疮为风寒之所袭击，则血气壅而不行，故其痛愈甚。独活之苦甘，辛温，能辟风寒，邪散则肌表安和，气血流通，故其痛自止也。奔豚者，肾之积，肾经为风寒乘虚客之，则成奔豚，此药本入足少阴，故治奔豚。痫与痓皆风邪之所成也，风去则痫痓自愈矣。女子疝瘕者，寒湿乘虚中肾家所致也，苦能燥湿，温能辟寒，辛能发散，寒湿去而肾脏安，故主女子疝瘕，及疗诸贼风、百节痛风无久新也。’”说罢，朱有德看着小神农。

“哦，我想起来了，我在《本草汇言》中看到过，说‘独活，善行血分，祛风行湿散寒之药也。凡病风之证，如头项不能俯仰，腰膝不能屈伸，或痹痛难行，麻木不用，皆风与寒之所致，暑与湿之所伤也；必用独活之苦辛而温，活动气血，祛散寒邪’，故《本草汇言》

言‘能散脚气，化奔豚，疗疝瘕，消痈肿，治贼风百节攻痛，定少阴寒郁头疼，意在此矣’。”

“就是呀，那知道它是什么药了吧？”朱有德摇着头，略有不满。

“嗯，知道了，它是治疗风湿的良药！”小神农摸了摸自己的小脑瓜。

“一定要记住才行，还有这特征，也很重要。”朱有德强调道。

“师傅，那我该怎么辨认它呢？”虽然小神农已经见到了这种草药，但还是需要师傅帮他总结一下药材的特征。

“独活的根略呈圆柱形，通常下部有2～3个分枝，有时会更多。根的头部非常膨大，并呈圆锥状，上面布满了很多横向的皱纹，顶端能看到其茎、叶的残基或明显的凹陷。独活入药时，表面为灰褐色或棕褐色，能看到清晰的纵皱纹、有横长皮孔样凸起以及稍凸起的

细根痕。质地较硬，但受潮则变软，断面的皮部为灰白色。独活有特异香气，这也是它与其他草药的最大区别之一。”朱有德认真解释道。

听完朱有德的一席话，小神农边点头边采摘独活。

威灵仙——通经活络之药

师徒二人继续向山上走去，因山路逐渐变得陡峭，小神农走起来着实费力，虽然这疲倦并未体现在小神农的脸上，可朱有德依旧察觉到了。

“我们在这里休息一会吧！”朱有德轻声说道。

小神农二话没说，一屁股坐了下来，猛灌了几口水。

“认识这种植物吗？”朱有德从身旁的植物上采下了一段。

“嗯？”小神农认真思忖着，“莫非这是威灵仙？”小神农不太肯定地回答。

“正是！”朱有德笑了笑，“看来也没都忘记，那你来说一说它

的特征吧。”

“威灵仙属木质藤本植物，干后则变为黑色。茎与小枝几乎无毛或有疏生短柔毛。它的一回羽状复叶长有5个小叶，不过有时则为3个或7个不等，偶尔基部有一对2～3裂的小叶。小叶片为纸质，大多呈卵形、卵状披针形、线状披针形或卵圆形，长1.5～10厘米，宽1～7厘米；顶端锐尖至逐渐变尖，偶尔有些微微凹陷，基部为圆形、宽楔形或浅心形，具有全缘，两面几乎无毛或疏生短柔毛。花常为圆锥状聚伞花序，开的花很多，但通常为腋生或顶生，花直径1～2厘米。萼片4～5裂，颜色为白色，形状大多是长圆形或长圆状倒卵形，长0.5～1厘米；顶端常有凸尖，外面则为边缘密生茸毛或中间有短柔毛。瘦果扁状，通常有3～7个，大多为卵形、宽椭圆形，长5～7毫米，其上长有柔毛。”

小神农的回答并无问题，于是朱有德点头认可，又继续问：“药

性如何？”

“药性啊，我知道威灵仙性温，味辛、咸，归膀胱经，应该是通络止痛的药物。”小神农说着，突然想起来什么，拍着头说，“对了，《广西中草药》中说它：‘祛风除湿，通经活络，利尿，止痛。治风湿骨痛，黄疸，浮肿，小便不利，偏头痛，跌打内伤。’而且，《本草经疏》也提到：‘威灵仙，主诸风，而为风药之宣导善走者也。腹内冷滞，多由于寒湿，心膈痰水，乃饮停于上、中二焦也，风能胜湿。湿病喜燥，故主之也。膀胱宿脓恶水，靡不由湿所成，腰膝冷疼，亦缘湿流下部侵筋致之，祛风除湿，病随去矣。其曰久积癥瘕、痃癖、气块及折伤。则病于血分者多，气分者少，而又未必皆由于湿，施之恐亦无当，取节焉可也。’总结起来就是说，威灵仙能够祛风除湿、通络止痛、消痰水、散癖积，所以，主要用于治疗痛风顽痹、风湿痹痛、肢体麻木、膝冷痛、筋脉拘挛、屈伸不利、脚气、疟疾、癥瘕积聚、破伤风、扁桃体炎之类的症状。”小神农滔滔不绝地说着。

“记忆力真好，完全正确！”朱有德脸上带着笑意对小神农说。

小神农听到师傅的肯定很是欢喜，可毕竟身体有些疲乏，傻笑着靠到一棵树上，不久便打起瞌睡来。

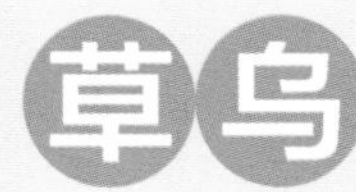

——治疗痈肿疔毒的“黑石块”

快到中午时，小神农与朱有德都精疲力竭了。他们找了一处阴凉地休息，可还未等朱有德坐定，一旁的小神农便大叫起来。

“你怎么了？”朱有德焦急地询问道。

“这小黑石块硌着我屁股了，好疼。”小神农捡起地上的黑色石块给朱有德看。

“你难道不知道这是什么吗？”朱有德反问道。

“知道啊，黑石块啊！”小神农睁着大眼睛说道。

“这是草乌，中药的一种。”朱有德解释道。

“这黑石块居然是草药，看来是我有眼不识金镶玉了。那师傅您

快给我讲讲它的主要特征吧。”小神农感觉自己又在师傅面前丢脸了，把中药当成了石块。

“草乌外形呈不规则的长圆锥形，长2～7厘米，直径0.6～1.8厘米。顶端常有残茎和少数不定根的残基，部分顶端的一侧有枯萎的芽，另一侧则有一圆形或扁圆形的不定根残基。表面大多为灰褐色或黑棕褐色，不仅皱且紧缩，并且有纵皱纹、点状须根痕及数个瘤状侧根。质地较硬，断面为灰白色或暗灰色，有裂隙存在，形成层环纹处多为角形或类圆形，髓部较大，但部分则为中空。味道辛辣，并有麻舌之感。”朱有德认真解答道。

“那总有植物才能生出这黑石块吧？它的植物特征什么样呢？”小神农追问。

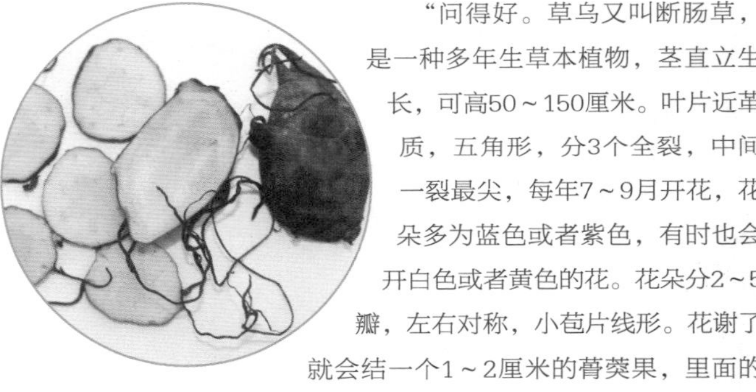

“问得好。草乌又叫断肠草，是一种多年生草本植物，茎直立生长，可高50～150厘米。叶片近革质，五角形，分3个全裂，中间一裂最尖，每年7～9月开花，花朵多为蓝色或者紫色，有时也会开白色或者黄色的花。花朵分2～5瓣，左右对称，小苞片线形。花谢了就会结一个1～2厘米的蓇葖果，里面的种子长有膜质翅。这乌黑块就是它的根茎了。”朱有德回答。

“那这黑石块，不，这草乌有哪些药性呢？”小神农继续问道。

“草乌性热，味辛、辣，有大毒，但它对风湿病很有功效，《本

草纲目》中就说它：‘治头风喉痹、痈肿疔毒，主大风顽痹。’同时，《本草纲目拾遗》中也说道：‘追风活血，取根入药酒。’”

“这下我可记住了，这黑石块就是宝贝。”小神农随手便将草乌扔进了药筐里。

——祛风湿的“好水果”

小神农在原地等待朱有德，因为山势较险，所以朱有德只身一人去往偏僻的小路寻找草药。待朱有德回来时，师徒二人再继续前进。

“师傅，给，解解渴！”小神农将一个木瓜递给朱有德。

“你在哪里找到的？我不是不让你乱跑么，又不听话！”朱有德用略带责备的语气说道。

“师傅您别生气，我没乱跑，我就在附近采来的，您看！”小神农将身子转过去，只见药筐里放了好多木瓜，“反正没人采，白白烂掉多可惜呀。”小神农狡猾地笑着。

朱有德此时觉得又气又好笑，于是索性吃了口木瓜，说："既然你都认识它是木瓜了，那就说说这木瓜的特征吧！"

"木瓜属于灌木或小乔木，高5～10米，树皮脱落时为片状。小枝上没有刺生长，全部为圆柱形，幼时被柔毛，但不久即脱落，颜色为紫红色，二年生枝则无毛，为紫褐色。冬芽呈半圆形，先端圆钝并且无毛，颜色为紫褐色。叶片为椭圆卵形、椭圆长圆形或稀倒卵形，长5～8厘米，宽3.5～5.5厘米；先端急尖，基部宽楔形或圆形，边缘有刺芒状尖锐锯齿，齿尖生长着腺，幼时下面密被黄白色茸毛，同样，不久便脱落无毛。叶柄长5～10毫米，微被柔毛，并生长着腺齿。托叶为膜质，大多为卵状披针形，先端逐渐变尖，边缘具有腺齿，长约7毫米。花单生于叶腋，花梗不仅短且粗，长5～10毫米，无毛。花直径为2.5～3厘米。钟状的萼筒外面无毛。萼片呈三角披针形，长6～10毫米，先端逐渐变尖，边缘具有腺齿并且外面无毛，内面密被浅褐色茸毛。花瓣大多为倒卵形，颜色为淡粉红色。雄蕊有多数，但长不及花瓣的一半。”小神农边吃边说道。

“你说了它的枝干、叶子、花朵，却偏偏没讲这果实呀。”朱有德晃着手里的木瓜提醒道。

“哦，我忘了。它的花落掉之后呢，就会结这样一个长圆形的果实出来，但初生时，它是绿色的，等到成熟后变得颜色深黄，还带有光泽。果肉为木质，颜色红棕，中心部分下陷，含有多数长三角形的种子，颜色黑亮。”小神农补充道。

“那么，木瓜的作用有哪些呢？”

“当然是可以食用喽！”小神农调皮地说。

“就知道吃！还有呢？”

“果实略有涩味，但它性温、味酸，归肝、脾经，和胃化湿、舒经活络功效了得，如果用它入药则有解酒、去痰、顺气、止痢、祛风湿之效。”小神农吃完还不忘舔舔自己的手。

“手上那么脏还舔！用这个！”说着，朱有德将一块干净的手帕递给小神农。

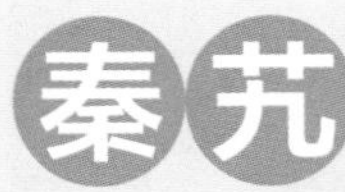

秦艽——祛除风湿之药

过了正午，师徒二人吃完饭，继续行走在山林间，也许是因为刚吃过饭的原因，小神农一直在打哈欠，恨不得能立刻就躺下午休。

“困啦？”朱有德用略带嘲笑的口吻说，“刚吃完就想睡，你是不是要变成小猪了？”

“师傅，您又嘲笑我！”说话间，小神农又打了一个哈欠，“可我为什么这么爱犯困呢，一到中午就想睡午觉？”

“那为师考考你吧！不然你一会就睡着了！”

“行啊！”小神农擦了擦湿润的眼角。

“这种草药是多年生的草本植物，高30～60厘米，全株光滑无

毛，枯存的纤维状叶鞘包裹着叶柄。它有多条须根，全部扭结或粘结成一个圆柱形的大根。”朱有德停顿了一下，见小神农毫无反应，于是继续说道，“它的枝只有少数丛生，并且大多直立或斜升，一般情况下的颜色为黄绿色，但有时上部带有紫红色，形状为近圆形。叶子大多为卵状椭圆形或狭椭圆形，长6～28厘米，宽2.5～6厘米；先端钝或为急尖状，基部逐渐变狭，边缘很是平滑，叶脉5～7条，明显生长于两面，并在下面凸起。茎生叶为椭圆状披针形或狭椭圆形，长4.5～15厘米，宽1.2～3.5厘米；先端钝或急尖，

基部为钝状，边缘平滑，叶脉有3~5条。”

小神农皱着眉头：“师傅，你说的这是什么呀？”

朱有德不理会他，继续说道：“它的花有多数，但并无花梗。花萼为筒膜质，颜色大多为黄绿色或有时带紫色，长7~9毫米，只一侧开裂并呈佛焰苞状，先端为截形或圆形，萼齿有4~5个，并为锥形，长0.5~1毫米。花冠筒部为黄绿色，冠檐呈蓝色或蓝紫色，全部为壶形，长1.8~2厘米；裂片为卵形或卵圆形，长3~4毫米，先端为钝或钝圆，具有全缘。它的蒴果内为卵状椭圆形，长15~17毫米。种子为红褐色，并带有光泽。还有重要的一点，这种草药能够祛除风湿疾病。”

“您是让我猜一种草药的名字吗？”小神农有些明白了，师傅说的是草药特征。

“当然啦，我已经说了这么多，你知道答案了吗？”朱有德看着小神农。

小神农依旧一头雾水："师傅，这种草药我肯定没见过，您快告诉我答案吧。"

"那我揭晓答案了！"朱有德故意吊小神农的胃口。

"师傅，您快说呀，是什么草药？"小神农急得早忘记打瞌睡的事了。

"我所说的便是秦艽！"

"啊！"小神农大叫一声，"对对对！秦艽！我有印象，可是我刚才怎么也想不起来！我明明认识这种草药的！"小神农顿时显得无比懊恼！

"既然你知道，那就给我说说它的药效如何。"朱有德笑着说。

"这个容易，秦艽性微寒，味辛、苦，归肝、胆、胃经，最能舒筋络、清虚热，还可以祛风湿。所以，用它入药，能治疗风湿痹痛、筋脉拘挛、日晡潮热、骨节酸痛、小儿疳积、发热等症。"

"怎么样，现在还困不困？"朱有德笑了起来，小神农挠挠头，也不由的笑了。

——祛风除寒的宝药

“师傅，师傅，您看，这花可真美！”小神农对着朱有德大叫道。

朱有德寻声看去，果然，那一片粉红色的鲜花开满了半个山坡，在这蓝天白云的映衬下，这红花绿叶显得格外美丽。

“师傅，您知道这是什么吗？”小神农激动地问道。

“这是丝棉木，一种草药！”朱有德看着小神农回复道。

“师傅，您快教教我该如何辨别这丝棉木好吗？”小神农祈求的眼神简直惹人怜爱。

“丝棉木属于落叶小乔木或灌木，高6～8米。树冠呈圆形或卵圆形，年幼时的树皮为灰褐色并且平滑，老树则长有纵状沟裂。小枝

细长为绿色，无毛，形状大致为四棱形，二年生枝四棱，每边都长有白线。叶为对生，几乎为卵状至卵状椭圆形，先端纤长并逐渐变尖，基部则为近圆形，缘上有细锯齿，叶柄细长，其长度大约为叶片长度的1/3，叶片下垂，秋季的叶片则变为红色。”朱有德回答。

“原来是这样！”小神农好像自言自语一般地重复道，“那这丝棉木的药用价值体现在哪里呢？”小神农依然存在疑问。

“丝棉木的根、茎皮、枝叶均可入药，尤其针对祛风除寒有极好的疗效。通常来说，春秋是采根的季节，春天采树皮，然后将其切段晒干。它们的作用在于可以治疗风湿疾病以及关节疼痛，因为它性寒，味苦、涩，归肝、脾、肾经，最能祛风除湿，活血通络。”朱有德边说边拿出新的手帕为小神农擦了擦头上的汗，“当然，除了治疗风湿，它还能治腰痛、跌打损伤、肺痈、衄血、疔疮肿毒等症。”

“既然这丝棉木是好东西，我要去采摘一些回来。”说罢，小神农便向丝棉木的方向走去，“师傅我很快回来，您在这里等我一会儿。”

“小心一点！快去快回啊！”朱有德叮嘱道。

——除湿痹之药

待小神农回来后，二人便顺着另一个方向朝山下走。

“咦，师傅，这是什么？”小神农抬头时，无意中看到朱有德的药筐里插着几束陌生的草药。此话一出，朱有德便知道小神农所问为何物，这东西是刚才与小神农分开时，朱有德在附近采摘的。

“为师没有为你讲过此种草药吗？”朱有德没有立刻回答小神农的提问，而是反问道。

“我敢打赌，师傅您一定没有讲过，不然我怎么一点印象也没有呢？”小神农似乎有点不开心了。

“不要噘着嘴了！为师给你讲还不成吗？这东西叫豨莶草！”朱

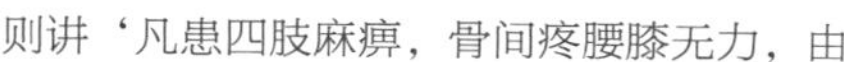

有德不等小神农开口，便径自说起来，“豨莶草性寒，味辛、苦，归肝、肾经，其清热解毒、驱风除湿功效强大，《本草正义》中就说它：‘气味颇酸，善逐风湿诸毒，用蜜酒层层和洒，九蒸九曝。善治中风口眼喎斜，除湿痹，腰脚酸软麻木。’《本草述》则讲‘凡患四肢麻痹，骨间疼腰膝无力，由于外因风湿者，生用，不宜熟；若内因属肝肾两虚，阴血不足者，九制用，不宜生’，所以，它是‘凡风寒湿热诸痹，多服均获其效，实是微贱药中之良品也’。”

“也就是说，它也是祛风湿的良药之一喽？”小神农反问道。

“正是！”朱有德小心翼翼地拨开挡路的草。

“可是，您还没讲它的特征呢？”小神农问道。

“豨莶草是多年生的草本，高60～150厘米。根部又粗又厚，茎也粗壮，形状为四棱形，具槽及条纹，上部密被星状短绒毛，下部疏被星状疏柔毛，并且具有分枝。下部的茎可生叶，叶柄长7～13厘米。叶片为心形或阔卵形，上部呈卵形，长7～18厘米，宽6～15厘米，先端急尖或尾状逐渐变尖，基部呈心形至圆形，上面为疏生星状短柔毛及单毛，下面密被星状短柔毛。苞片为卵状披针形，远多于花序，柄长0.5～5.5厘米。轮伞花序具有总梗。苞片通常为叶状、线状披针形，通常长4～13毫米，宽1.5～5毫米。花萼为管状，外面被灰色星状短毡毛，萼齿不多，通常为5齿。花冠为白色或黄色，冠檐为二唇形。坚果不仅小且无毛。”朱有德完整解释道。

“我全部记住了，师傅！”小神农欢快地说着，与朱有德一起向前走去。

络石藤——治疗筋骨关节风热痈肿之草药

小神农一边走，一边背诵草药的特征以及药性，他背的是一味叫络石藤的药材，因为刚学会不久，所以要多复习。

“《本草纲目》曰：‘络石，气味平和，其功主筋骨关节风热痈肿，变白耐老，即医家鲜知用者，岂以其近贱而忽之耶。服之当浸酒耳。’

“《得配本草》曰：‘络石，配射干、山栀，治毒气攻喉。配参、苓、龙骨，治白浊已甚。’

“《要药分剂》：‘络石之功，专于舒筋活络。凡病人筋脉拘挛，不易伸屈者，服之无不获效，不可忽之也。’”小神农背诵的声音很大，以至于山谷间可以清晰地听到小神农的回声。

“络石藤为常绿木质藤本，最长可达10米，其内具有乳汁。茎为褐色，分枝较多，嫩枝具被柔毛。叶为对生，具短柄，幼时有被灰褐色柔毛，但其成长时便随之脱落。叶片呈卵状披针形或椭圆形，长2～10厘米，宽1～4.5厘米，先端短尖或钝圆，基部为宽楔形或圆形，具有全缘，表面为深绿色，背面为淡绿色，并具有细柔毛。聚伞花序分为腋生和顶生两种。花为白色，呈高脚碟状，萼很小，但具有5深裂。花管具外被细柔毛，筒中部比较膨大。花冠反向弯卷，同样具有5裂，并全部向右旋转排列。其果为长圆柱形，长约15厘米，几乎为水平展开。种子呈线形且扁，颜色为褐色，顶端具有种毛。”小神农沉浸于自己的回忆中，忘我地背诵着。

由于过于投入，小神农完全没有注意脚下的石头，“哎哟！”小神农摔倒了。

朱有德立刻将他扶起来，看着小神农脏兮兮的脸，朱有德不禁大笑起来。

“师傅，您怎么一点师傅的样子也没有？看到徒弟摔倒了，您反而大笑！”小神农噘起了嘴。

“谁叫你每次都不听为师的话？我再三叮嘱你，小心一些，你却完全不把我的话放在心上，可见你也是个不称职的徒儿！”

小神农哑口无言，于是只能假装疼痛地哀嚎，以此来引起朱有德的注意。

“别装了！我早就看过了，不过是轻微皮外伤，快点赶路，不然天黑之前就回不了家了！”朱有德督促道。

“好了！我知道了！哼！坏师傅！”小神农一边赌气一边跟着朱有德下山。

“坏师傅还没问你呢，你背的到底是味什么药呀？药性一点也不

全面。”朱有德故意分散小神农的注意力。

“当然是络石藤呀，它的药性我不是都背了嘛？”小神农果然立刻盯着师傅问起来。

“你这样背是不行的，只背书中的原话，怎么能活学活用呢？要总结成自己的语言才行嘛。”朱有德引导着。

“哦，我明白了，我应该这样背：络石藤性微寒，味苦，最能祛风通络、凉血消肿，主要用于风湿热痹、筋脉拘挛、痈肿、喉痹、腰酸膝痛、跌打损伤等症。这样对不对，师傅？”

“对，这样就简单明了啦。”朱有德满意地笑了。

——强肝肾的“木头”

小神农依旧漫不经心地走在路上，可能是因为过于劳累的缘故，小神农走起路来总有些摇头晃脑的，一个没注意，便撞上了朱有德的后背。

“哎呀！”小神农一个踉跄，差点跌坐在地上。

“师傅，您怎么走着走着就停下了！”小神农不满地抱怨道。

只见朱有德捡起一些黑乎乎的东西，小神农不确定这是什么，但单看这丑陋的外貌就可以感知到不是什么好东西。

小神农走近后，随口说道：“师傅，您捡这破木头干嘛？咱家里可有好多烧柴的木头呢！”

“这不是木头！这是狗脊！”朱有德回复道。

“狗脊？这是狗脊？”小神农瞪大了双眼！还未等朱有德开口，小神农立刻说道，“《本草纲目》曰‘强肝肾，健骨，治风虚’，《神农本草经》曰‘主腰背强，机关缓急，周痹寒湿，膝痛，颇利老人’，以及《别录》曰‘坚脊，利俯仰’，您捡的就是书中说的这味狗脊吗？”

“说的没错！”朱有德将狗脊放入药筐内。

“虽说这狗脊好处颇多，可这样子实在是丑！”小神农用略带嫌弃的眼神看着那些狗脊。

“就像你所看到的，狗脊呈不规则的长块状，长10～30厘米，直径2～10厘米。表面呈深棕色，并且残留着金黄色茸毛。上面生长着红棕色的木质叶柄，通常只有几个，下面残存着黑色的细根。质地坚硬，且不易折断。生狗脊片呈不规则的长条形或圆形，长5～20厘米，直径2～10厘米，厚1.5～5毫米。它的切面呈浅棕色，比较平滑，但边缘不太整齐，偶而有金黄色的茸毛残留。质地清脆，所以易于折断。熟狗脊片则不同，它呈黑棕色，并且质地坚硬。”朱有德接着说道。

“不过，师傅，虽然我认识了这狗脊，但真不知道什么样的植物才会长出这种药材来。”小神农有些惋惜地说。

“是一种多年生的树蕨植物长出来的，它可以高达3米，根是平卧生长的，有时也直立，带有木质，表面生有棕黄色的柔毛，偶尔也有金色的。它的叶子丛生，叶柄粗壮，颜色褐色，也长有金黄色柔毛。叶片却是卵圆形的，为3回羽状分裂，亚革质。叶表暗绿，叶背

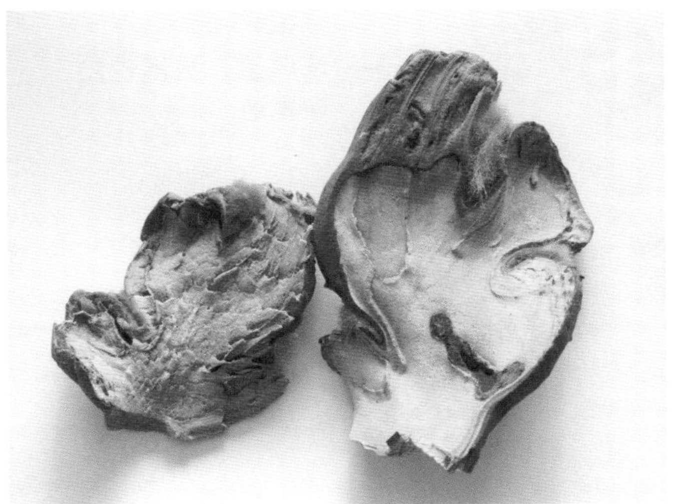

粉灰，叶脉开放，但不分枝。这种植物不会结果实，因为它的叶下有囊群，靠孢子传播。”朱有德回答道。

“虽然这狗脊长相略丑，但植物的样子似乎很有特点，竟像只小狗，怪不得叫狗脊呢！”小神农偷笑道。

“确实是这样！”朱有德宠溺地拍了拍小神农的头，“你现在再自己总结一下它的药效吧，不要引用书中说的。”

“哦，狗脊性温，味苦、甘，归肝、肾经，可以祛风湿、固肾气、强腰膝，主治风湿痹痛、足膝软弱无力、腰痛脊强、遗尿、遗精、尿频等症。”小神农自信地回答。

“总结得还不错，快走吧。”朱有德满意地点点头，拉着小神农向前走去。

——祛风湿、强筋骨的中草药

走到山脚下，小神农的腿好似灌了铅一样，只能央求师傅在此休息一会。

“眼看天就要黑了，你不怕有猛兽冲出来把你吃了么？”朱有德故意逗他。

“师傅，您怎么还跟小孩子一样啊！真是个老顽童！”小神农嘟着嘴背对朱有德坐着，一边揉着脚踝，一边环顾四周。不会真的有猛兽出现吧？小神农暗自猜想。

“快看这是什么！”朱有德大喊了一声。

小神农条件反射一样跳了起来：“什么什么？在哪里？猛兽在哪

里？”小神农慌乱到完全不知道自己在说什么。

“哈哈哈，傻孩子，我让你看这是什么植物，可没说看猛兽！”朱有德指了指旁边的植物说。

“师傅您可吓死我了，我以为猛兽真的出现了！”小神农的表情简直哭笑不得。

“千年健！”小神农瞥了一眼朱有德所说的植物，“师傅您别告诉我您不认识啊？”

“我怎么会不认识呢！考考你罢了！”朱有德笑道，“说说它的特征吧！”

“千年健的外形呈圆柱形，略微有些弯曲，但有的略扁，长15～40厘米，直径0.8～1.5厘米。表面呈黄棕色或红棕色，并且非常粗糙，仔细观察可以见到其上有多数扭曲的纵沟纹、圆形根痕和黄色针状纤维束。质地硬且脆，断面为红褐色，黄色的针状纤维束不仅多而且显而易见。说完了，怎么样师傅？”小神农问道。

“又错了，我问的可是植物特征，又不是让你说根茎。”朱有德强调着。

“这个我也知道，它是多年生草本植物，叶片膜质，也有纸质，呈箭状心形，前端骤尖，侧脉平行向上斜。它5～6月开花，花序1～3个，总苞佛焰状，花朵开放时，展开如短舟状，花谢之后可结褐色浆果，里面还有圆形的褐色种子。”小神农快速说着。

“还不错！”朱有德嘿嘿笑了笑，“那药性呢？”

“千年健性温，味辛，有小毒，善祛风湿、活经络、止痛、消肿。《本草正义》中说：‘千年健，今恒用以宣通经络，祛风逐痹颇有应验。’所以，它是治疗风湿的好药，可治风湿痹痛、筋骨痿软、肢节酸痛、痈疽疮肿、跌打损伤、胃痛等症。”小神农一股脑儿将自己所学的全部说出来。

“过关！”朱有德大笑着摆手说道。

鹿衔草——治疗风湿痹痛之丹药

这天吃过午饭后，小神农将晾晒好的草药放入抽屉里，整理时，他却发现了一些不太熟悉的草药。

“发呆呢？怎么不干活？”朱有德进来看到小神农呆呆地一动也不动。

“师傅，这是什么草药？”小神农拿起一些给朱有德看。

“鹿衔草！”朱有德看了一眼便走去角落里整理另一部分草药。

“师傅，求赐教！”小神农摆出一幅摇尾乞怜的姿势。

“鹿衔草为多年生常绿草本，高12～26厘米，整棵植株无毛。根状茎最为细长，通常匍匐或斜生，其节上长有三角形鳞叶。它的不定根同样很纤细，从节部生出，略有分枝。叶在基部丛生。叶柄长

2.5～4厘米，叶为互生，薄革质，外形呈圆形至卵圆形，长2～5厘米，宽2～4厘米，先端钝圆状，基部为圆或近平截，具有全缘，但有时具有不明显的疏锯齿，边缘略向叶背方向反卷，下面常呈灰蓝绿色。总状花序通常有花9～13朵，每花具有1个小苞片，全部为披针形，长6～9毫米。花的个头很大，呈广钟形，直径15～20毫米，花萼有5深裂。花冠也成广钟状，花瓣5裂，大多呈椭圆形或倒卵形，长8～10毫米，宽6～8毫米，先端为钝圆状，基部稍窄，颜色为白色或稍带粉红色。它的蒴果为扁球形，直径大约7～8毫米，具5棱。种子为多数，体型较小。"朱有德虽然手里忙着，可说得却非常详细。

"原来这就是鹿衔草！那它的作用是什么呢？"小神农继续提问。

"鹿衔草性温，味苦，归肺、胃、肾、肝经，能补虚、益肾、祛风除湿、活血调经、补肾强骨、止咳、止血，因此，常用于治疗肾虚腰痛、风湿痹痛、筋骨痿软、吐血、外伤出血的症状。"朱有德继续解释道。

"我记住了!谢谢师傅！"小神农说完，便去继续整理药材。

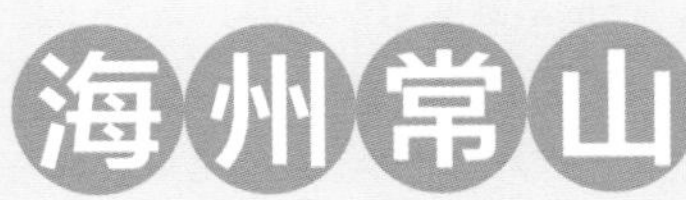

海州常山——宽筋活血的“奇异花”

这天，朱有德将小神农叫来前堂，美其名曰饭后闲聊，实则是对小神农进行测试。

“当我叙述完这个草药的特性时，你要毫不犹豫地说出答案，否则整理茅厕1个月！”

“师傅，您这不就是考试么！”小神农不满地回答道。

“我开始出题了！”朱有德没有理会小神农的不满。

“出就是出，谁怕谁呀。”小神农也不甘示弱。

“此种草药属于灌木或小乔木，高1.5～10米。幼枝、叶柄、花序轴等具有被黄褐色柔毛，但有些则近乎无毛，老枝呈灰白色，能看到清晰的皮孔，颜色为髓白色。叶片为纸质，大多呈卵形、卵状椭圆形或三角状卵形，长5～16厘米，宽2～13厘米；顶端逐渐变尖，基部

为宽楔形至截形，偶尔有心形，表面为深绿色，背面为淡绿色，老时表面则光滑无毛，背面仍被短柔毛或无毛，侧脉有3～5对，具有全缘，但有时边缘具有波状齿。叶柄长2～8厘米。伞房状聚伞花序大多为顶生或腋生，通常有二歧分枝，位置比较疏散。花具有香味，花冠为白色或带粉红色，花冠为管细状，长约2厘米，顶端有5裂，裂片为长椭圆形，长5～10毫米，宽3～5毫米。核果近乎为球形，径6～8毫米，成熟时外果皮为蓝紫色。请说出这是何种中草药？”

“海州常山！”小神农得意地笑了。

“说出它的药性才算过关！”朱有德命令道。

“海州常山性凉，味辛、甘、苦，归肝、脾、胆经，最善祛风湿，《本草纲目拾遗》中就说它‘能宽筋活血，治一切风湿，止痞肿，风气头风，半边头痛，两足酸软疼痛，不能步履，两手牵绊，不能仰举’。也就是说，海州常山有治疗风湿痹痛、半身不遂、高血压病、偏头痛、疟疾、痢疾、痔疮的功效。”

“掌握得不错！”朱有德大笑一声，“茅厕就不用你来清理了！”

“让您失望了吧！”小神农挺了挺自己的胸脯，一脸得意地说。

药物名称汉语拼音索引

特别鸣谢

本书从创作伊始到即将付梓，经历了近3年的时间，其间得到了众多同行和亲朋好友给予的建设性意见和鼎力支持，有了他们的帮助，才有本书的顺利完成和出版，在此特向齐菲、周芳、裴华、谢军成、谢言、全继红、李妍、叶红、王俊、王丽梅、徐娜、连亚坤、李斯瑶、李小儒、戴晓波、董萍、鞠玲霞、王郁松、刘士勋、余海文、李惠、矫清楠、蒋思琪、周重建、赵白宇、仇笑文、赵梅红、孙玉、吴晋、杨冬华、苏晓廷、宋伟、蒋红涛、朱进、高稳、李桂方、段其民、姜燕妮、李俊勇、李建军、王忆萍、魏丽军、徐莎莎、张荣、李佳蔚等表示诚挚的谢意！